MARABOUT *PRATIQUES*

D1134075

La Collection **Musique Marabout** est placée sous la direction d'**Art Mickaëlian**.

Chic alors ! Je vais enfin pouvoir chanter sous la douche avec ma guitare !

© 1991 & 1995 Marabout, Alleur (Belgique)

PATRICK MOULOU

1000 ACCORDS POUR GUITARE

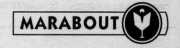

Ce livre a été entièrement conçu et réalisé par
Art Mickaëlian (BOOKMAKERS Int.™)
sur chaîne éditoriale Macintosh™.

Illustrations : Art Mickaëlian et Click Art™

Couverture : Art Mickaëlian

Remerciements particuliers à : Danièla
pour son soutien constant et ses conseils éclairés.

S O M M A I R E

Pour tous contacts ou suggestions concernant la **Collection Musique Marabout** écrire à :

Art Mickaëlian
c/o BOOKMAKERS
B.P. 102 92146
CLAMART Cedex

P R É F A C E

Les accords sont pour la guitare ce que les notes sont pour la musique : le vocabulaire.

Outils indispensables à tous les guitaristes, ils vont permettre aussi bien d'accompagner leurs chansons préférées que de composer ou de travailler l'harmonie.

Ce livre regroupe les 1000 positions d'accords les plus utilisées pour jouer n'importe quel style de musique (Folk, Blues, Jazz, Rock, Jazz Rock, Hard etc.) à la guitare.

Pour chaque tonalité et chaque famille d'accords, 4 positions différentes sur le manche, sauf pour les accords majeurs et septièmes qui bénéficient d'un traitement de faveur (8 positions), puisqu'ils représentent les accords les plus joués par les guitaristes du monde entier.

Conseils aux débutants : travaillez votre instrument chaque jour, pendant au moins 15 minutes (plus si possible...), et essayez de mémoriser les accords par famille (ex. : tous les Do, tous les Dom etc.) avant de vous « frotter » aux 100 enchaînements d'accords types situés à la fin de ce livre.

À vous de jouer !

• Le doigté de la main gauche

Pour chaque accord, des chiffres blancs sur pastilles noires, représentent **les doigts de la main gauche** qu'il faut utiliser pour réaliser un accord.

1 = index   **2** = majeur   **3** = annulaire   **4** = auriculaire
P = pouce

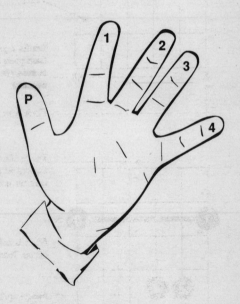

• Comment lire un diagramme d'accord

Les traits verticaux représentent **les six cordes de la guitare**. La plus grave est à gauche, la plus aiguë à droite.

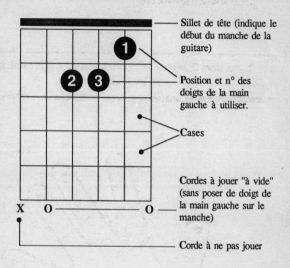

Sillet de tête (indique le début du manche de la guitare)

Position et n° des doigts de la main gauche à utiliser.

Cases

Cordes à jouer "à vide" (sans poser de doigt de la main gauche sur le manche)

Corde à ne pas jouer

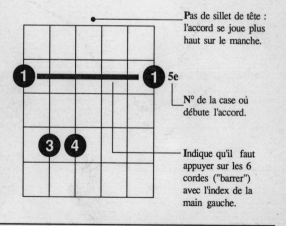

Pas de sillet de tête : l'accord se joue plus haut sur le manche.

5e

N° de la case où débute l'accord.

Indique qu'il faut appuyer sur les 6 cordes ("barrer") avec l'index de la main gauche.

• Conseils aux débutants

1 - Les doigts de la main gauche doivent appuyer sur le manche, **le plus perpendiculairement** possible à la touche de la guitare.

2 - Décomposez chaque accord, **corde par corde**, en prenant soin de **bien faire sonner** chaque note avant de jouer pleinement l'accord.

3 - Dès qu'une corde "frise" un peu (dès qu'elle émet des bruits parasites ou qu'elle sonne sourdement), **replacez correctement votre doigt** sur la corde jusqu'à l'obtention d'un **son clair et net**.

4 - Travaillez vos accords **chaque jour**, en essayant d'apprendre par cœur au moins la première position de chaque famille d'accord, dans chaque tonalité.

• Le chiffrage international

Les pays anglo-saxons n'utilisent pas la même façon de noter les accords. Voici la correspondance avec notre notation.

A = LA

B = SI

C = DO

D = RE

E = MI

F = FA

G = SOL

DO

C

DO Majeur

Do

Do

Do

Do

Do / C

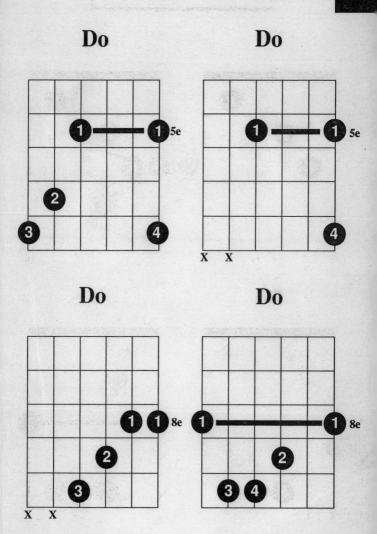

Do 7

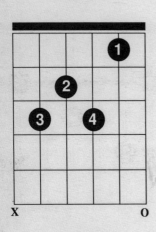

Do 7

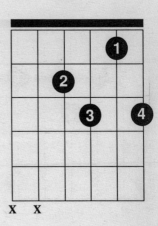

Do 7

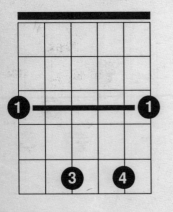

Do 7

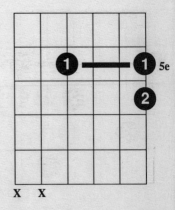

Do 7

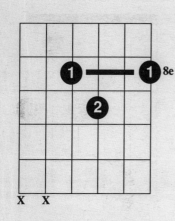

Do 7

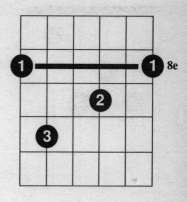

Do 7

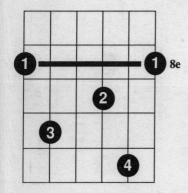

Do 7

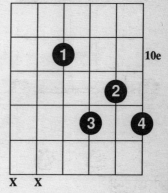

DO 7Maj.

Do 7M

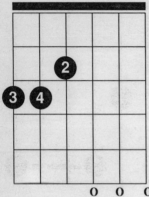

o   o   o

Do 7M

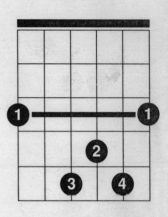

Do 7M

Do 7M

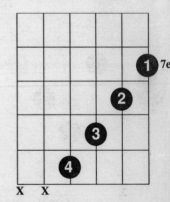

X   X   X   X

DO 6

Do 6

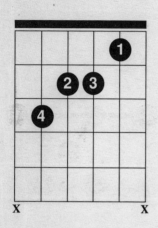

Do 6

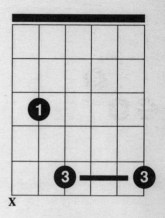

Do 6

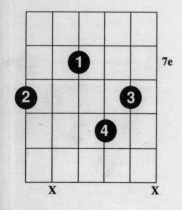

Do 6

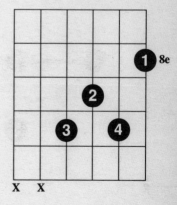

DO 9

Do 9

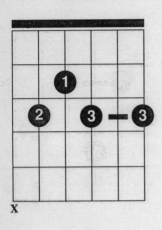

Do 9

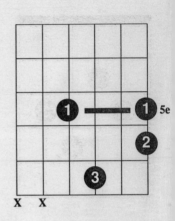

Do 9

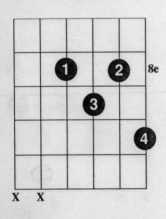

Do 9

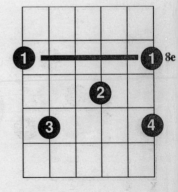

DO Maj.9

Do M9

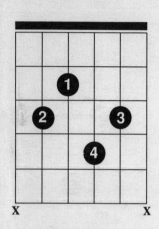

Do M9

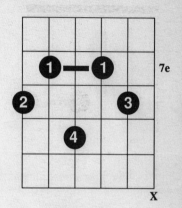

7e

Do M9

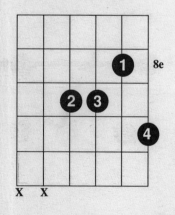

8e

Do M9

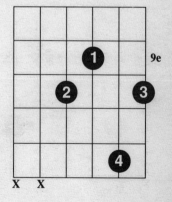

9e

Do 11

Do 11

Do 11

Do 11

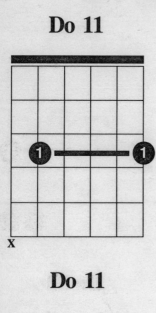

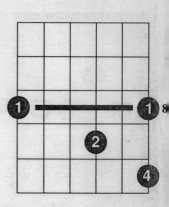

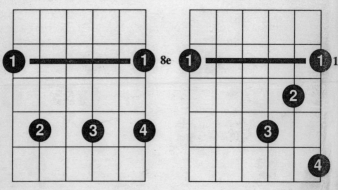

DO 13

Do 13

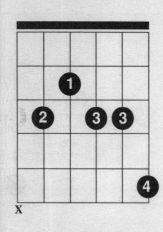

X

Do 13

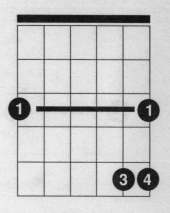

Do 13

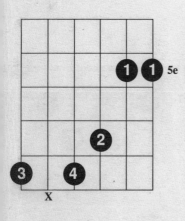

X

Do 13

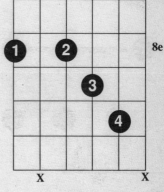

X   X

DO 7dim

Do 7dim

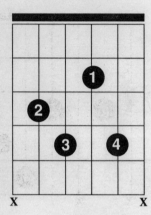

Do 7dim

Do 7dim

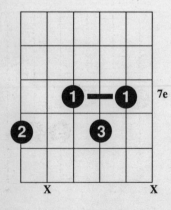

Do 7dim

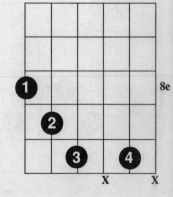

DO 7⁺

Do 7⁺

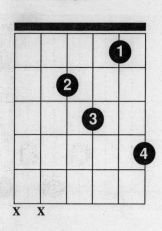

Do 7⁺

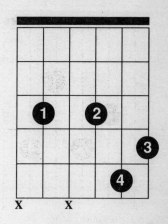

Do 7⁺

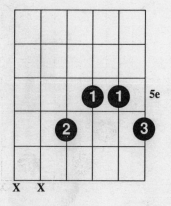

Do 7⁺

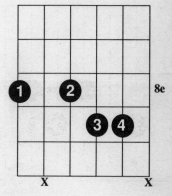

Do 6/9

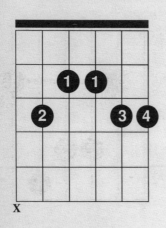

Do 6/9

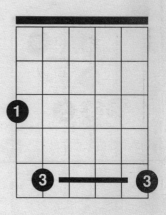

Do 6/9

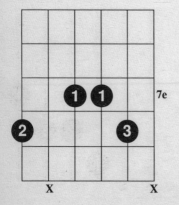

7e

Do 6/9

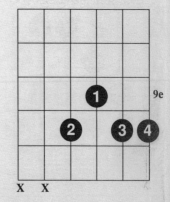

9e

DO 7sus4 et Do 5⁺

Do 7sus4

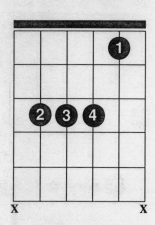

Do 7sus4

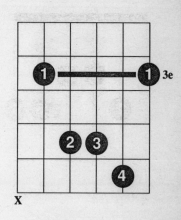

Do 5⁺

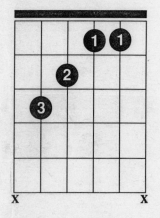

Do 5⁺

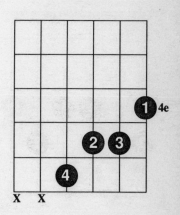

DO mineur

Do m

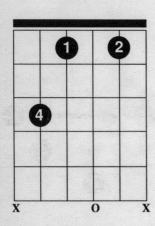

Do m

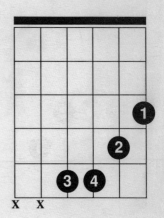

Do m

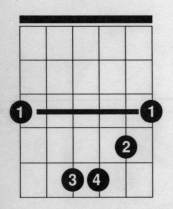

Do m

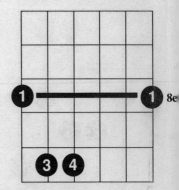

8e

DO m7

Do m7

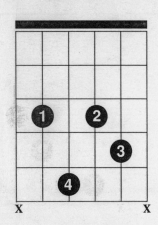

Do m7

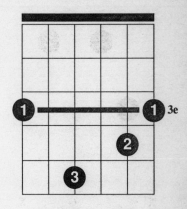
3e

Do m7

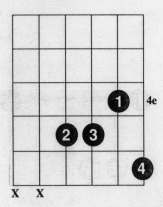
4e

Do m7

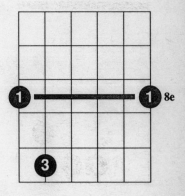
8e

DO m7Maj.

Do m7M

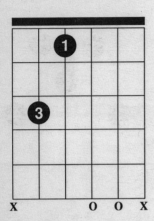

Do m7M

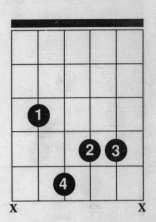

Do m7M

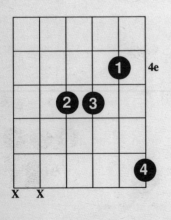

Do m7M

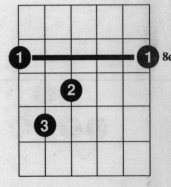

DO m6

Do m6

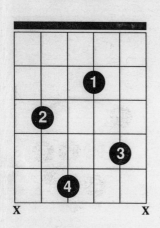

Do m6

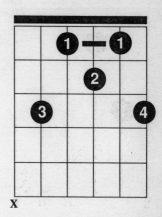

Do m6

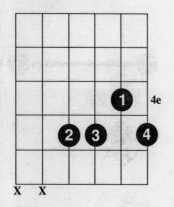

4e

Do m6

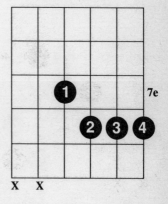

7e

DO m9

Do m9

Do m9

Do m9

Do m9

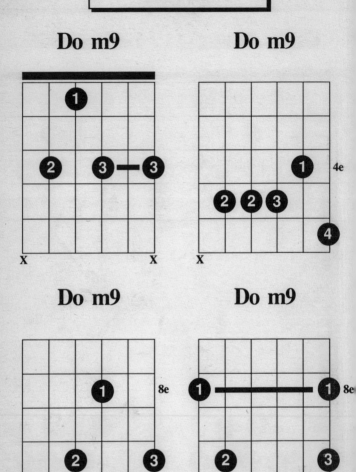

DO m7sus4

Do m7sus4

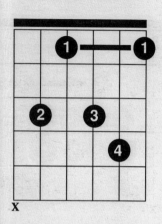

Do m7sus4

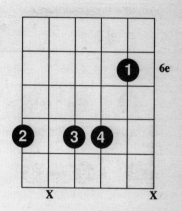

Do m7sus4

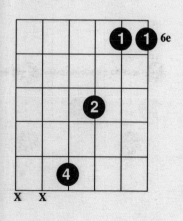

Do m7sus4

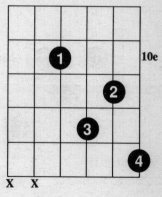

DO m7(5♭)

Do m7(5♭)

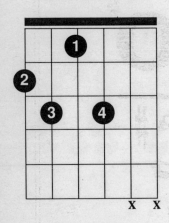

X X

Do m7(5♭)

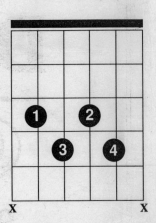

X X

Do m7(5♭)

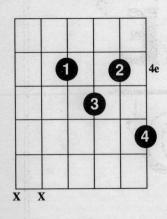

4e

X X

Do m7(5♭)

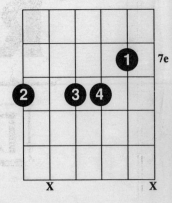

7e

X X

DO# Majeur

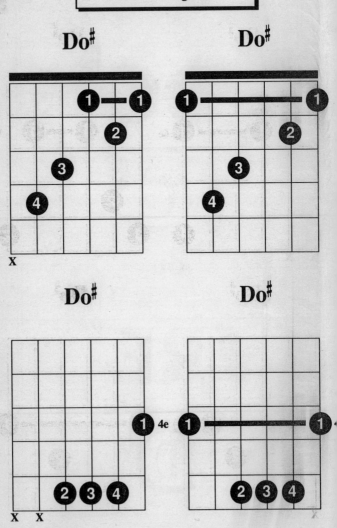

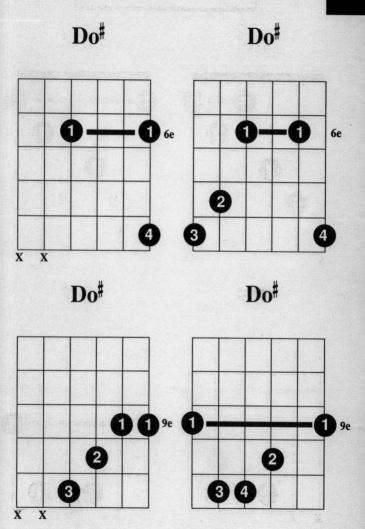

DO#7

Do#7

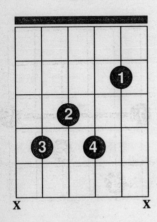

Do#7

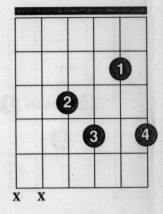

Do#7

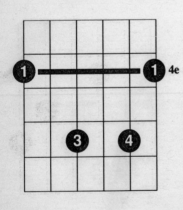

4e

Do#7

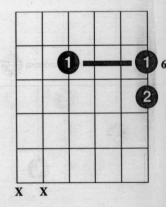

6

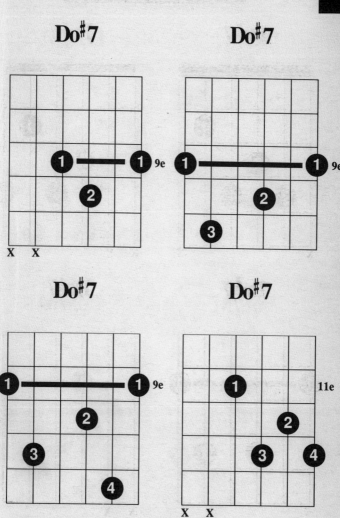

Do#7 · Do#7 · Do#7 · Do#7

9e · 9e · 11e

Do# / Réb

DO# 7 Maj.

Do# 7M

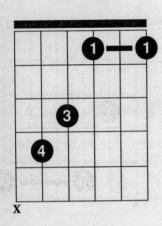

Do# 7M

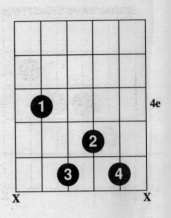

4e

Do# 7M

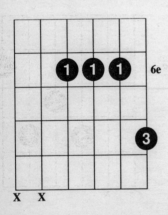

6e

Do# 7M

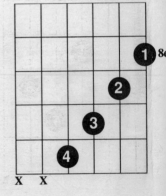

8e

DO#6

Do#6

Do#6

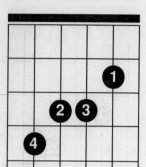

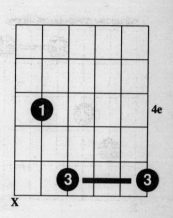

Do#6

Do#6

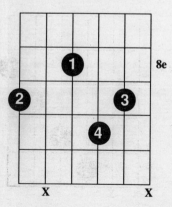

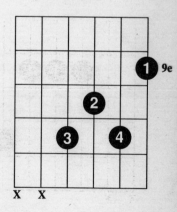

DO#9

Do#9

Do#9

6e

Do#9

9e

Do#9

9e

DO# Maj.9

Do# M9

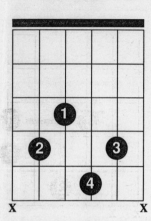

Do# M9

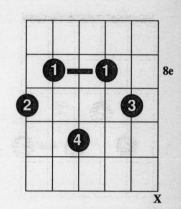

8e

Do# M9

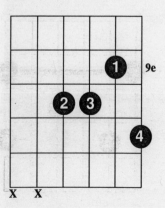

9e

Do# M9

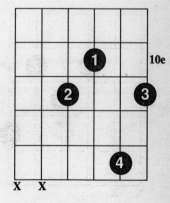

10e

DO#11

Do#11

Do#11

Do#11

Do#11

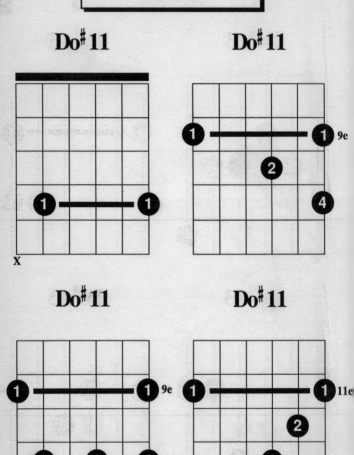

DO#13

Do#13

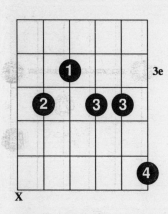

3e

Do#13

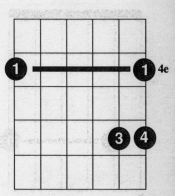

4e

Do#13

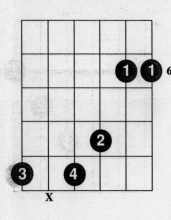

6e

Do#13

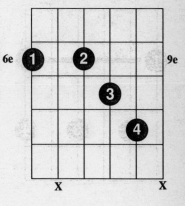

9e

DO#7dim

Do#7dim

Do#7dim

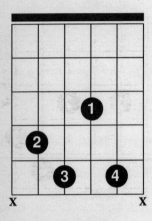

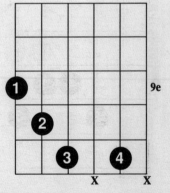

Do#7dim

Do#7dim

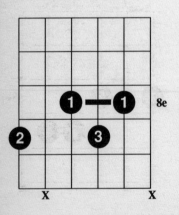

DO#7+

Do#7+

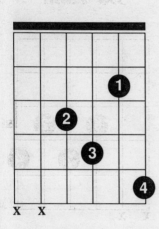

X X

Do#7+

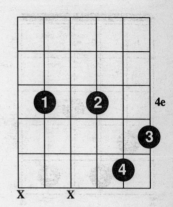

4e

X X

Do#7+

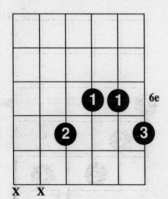

6e

X X

Do#7+

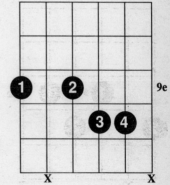

9e

X X

Do# 6/9

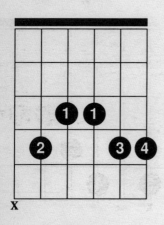

Do# 6/9

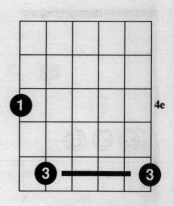

4e

Do# 6/9

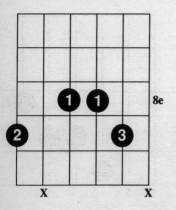

8e

Do# 6/9

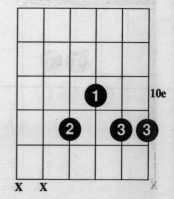

10e

DO#7sus4 et DO#5+

Do#7sus4

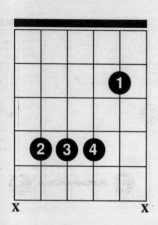

Do#7sus4

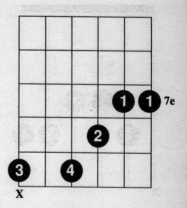

Do#5+

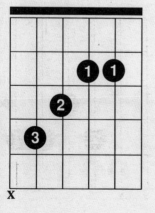

Do#5+

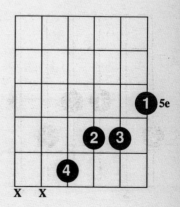

DO# mineur

Do#m

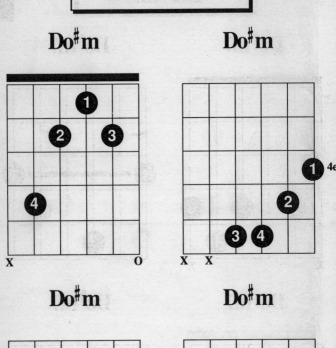

Do#m

Do#m

Do#m

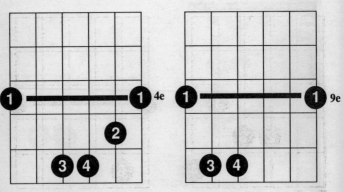

DO# m7

Do# m7

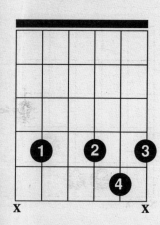

Do# m7

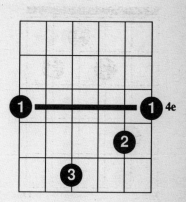

Do# m7

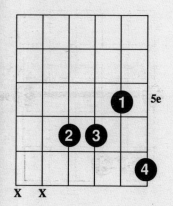

Do# m7

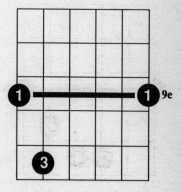

DO# m7M

Do# m7M

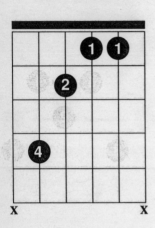

Do# m7M

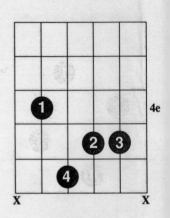

Do# m7M

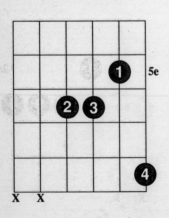

Do# m7M

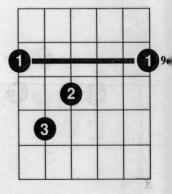

DO#m6

Do#m6

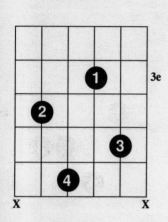

3e

Do#m6

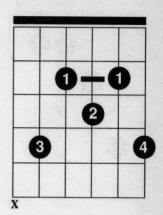

Do#m6

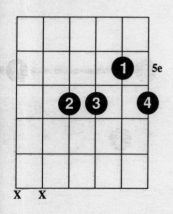

5e

Do#m6

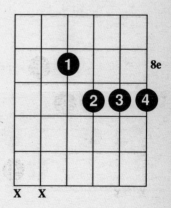

8e

DO#m9

Do#m9

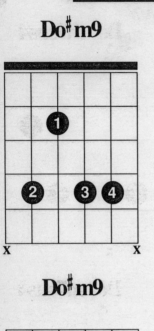

Do#m9

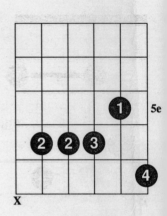

5e

Do#m9

9e

Do#m9

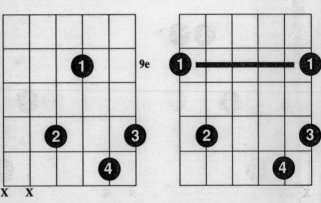

DO# m7sus4

Do# m7sus4

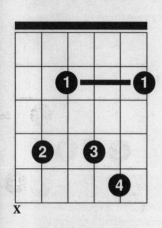

Do# m7sus4

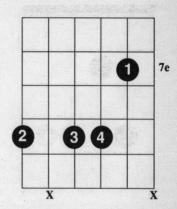

7e

Do# m7sus4

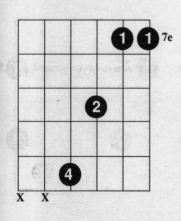

7e

Do# m7sus4

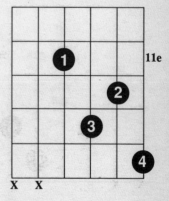

11e

Do# m7(5♭)

Do# m7(5♭)

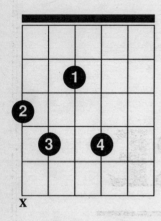

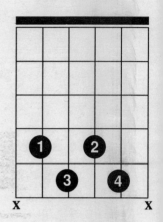

Do# m7(5♭)

Do# m7(5♭)

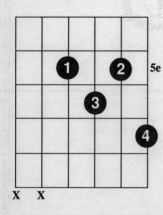

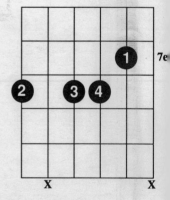

RE

D

RE Majeur

Ré

Ré

Ré

Ré

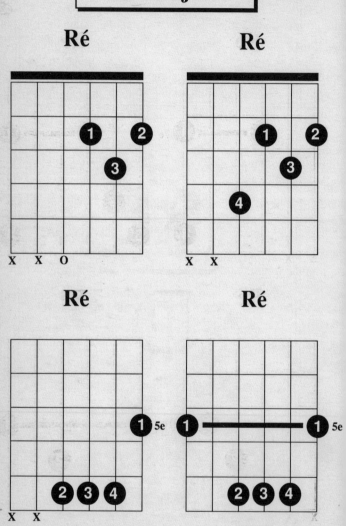

Ré   # Ré

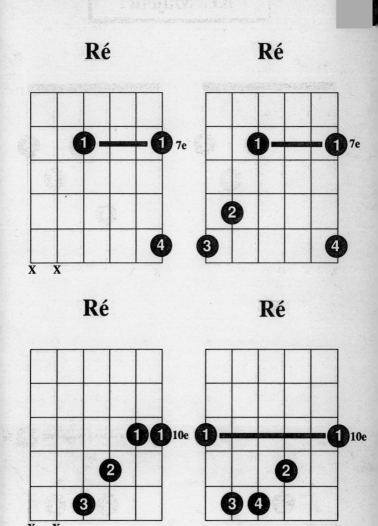

Ré   # Ré

RE 7

Ré 7

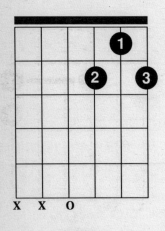

Ré 7

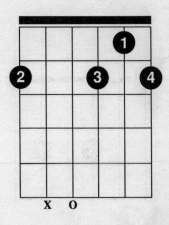

Ré 7

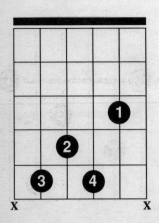

Ré 7

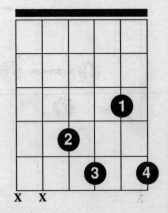

Ré 7

Ré 7

Ré 7

Ré 7

RE 7Maj.

Ré 7M

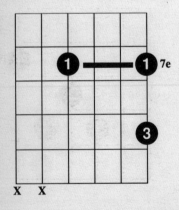

X X O

Ré 7M

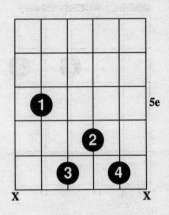

5e

X X

Ré 7M

7e

X X

Ré 7M

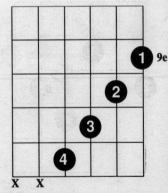

9e

X X

Ré / D

RE 6

Ré 6
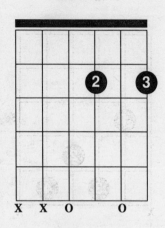

Ré 6
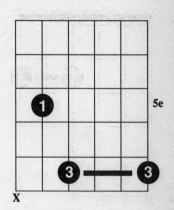
(5e)

Ré 6
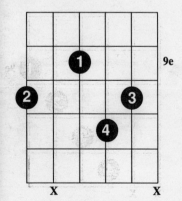
(9e)

Ré 6
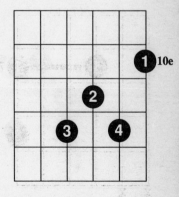
(10e)

63

RE 9

Ré 9

Ré 9

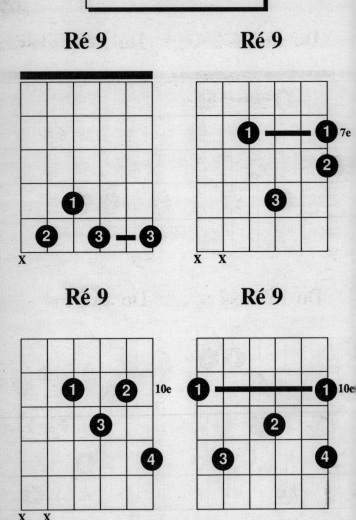

Ré 9

Ré 9

RE Maj.9

Ré M9

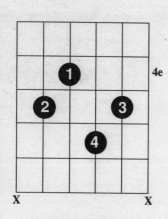

4e

Ré M9

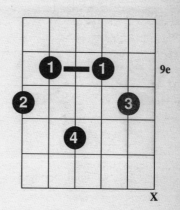

9e

Ré M9

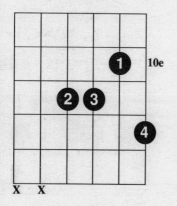

10e

Ré M9

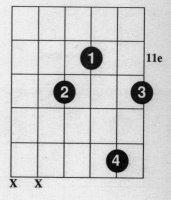

11e

Ré 11

Ré 11

Ré 11

Ré 11

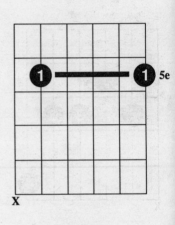

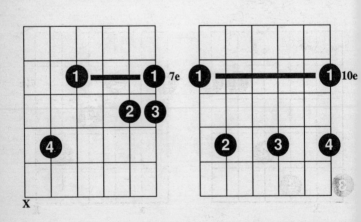

RE 13

Ré 13

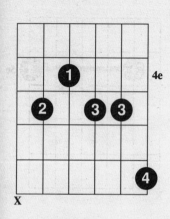

Ré 13

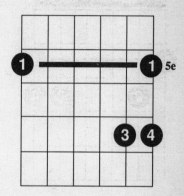

Ré 13

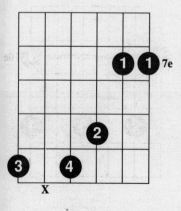

Ré 13

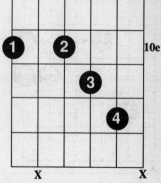

RE 7dim

Ré 7dim

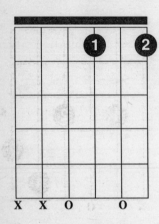

Ré 7dim

4e

Ré 7dim

6e

Ré 7dim

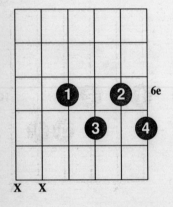

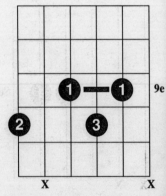

9e

RE 7+

Ré 7+

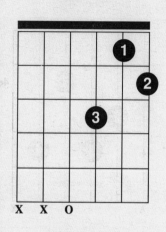

X X O

Ré 7+

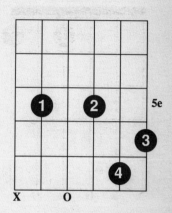

5e

X O

Ré 7+

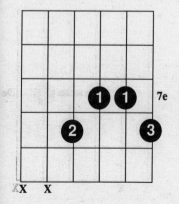

7e

X X X

Ré 7+

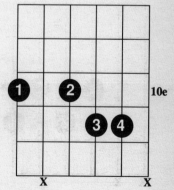

10e

X X

RE 6/9

Ré 6/9

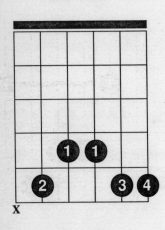

Ré 6/9

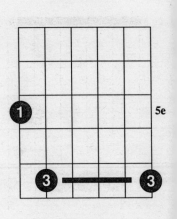

Ré 6/9

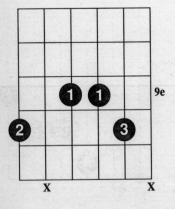

Ré 6/9

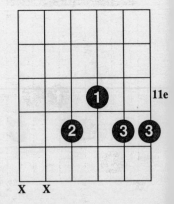

RE 7sus4 et RE 5⁺

Ré 7sus4

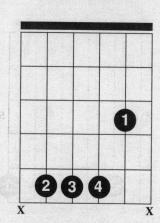

Ré 7sus4

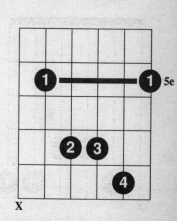

Ré 5⁺

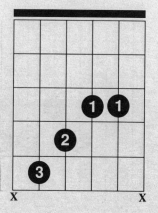

Ré 5⁺

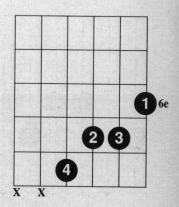

Ré m

Ré m

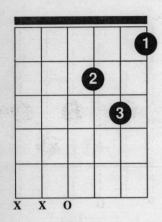

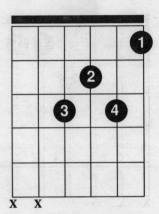

Ré m

Ré m

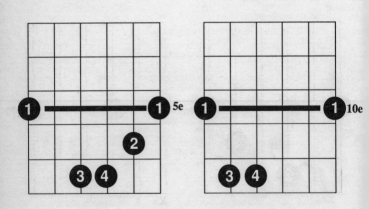

RE m7

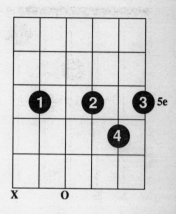

Ré m7

Ré m7

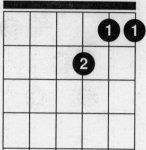

Ré m7

Ré m7

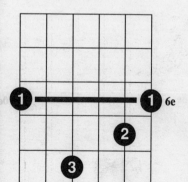

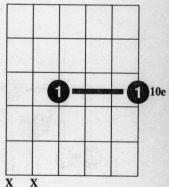

RE m7Maj.

Ré m7M

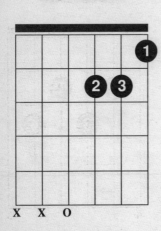

X X O

Ré m7M

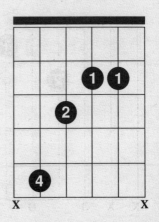

X X

Ré m7M

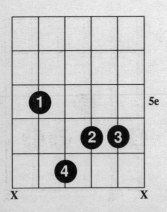

X X

5e

Ré m7M

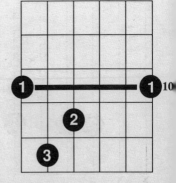

10

RE m6

Ré m6

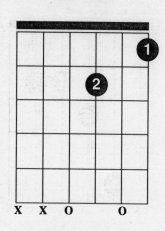

Ré m6

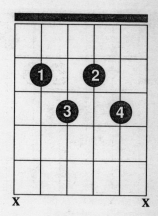

Ré m6

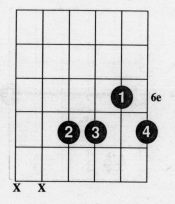

Ré m6

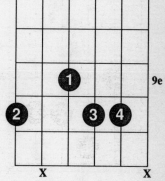

RE m9

Ré m9

Ré m9

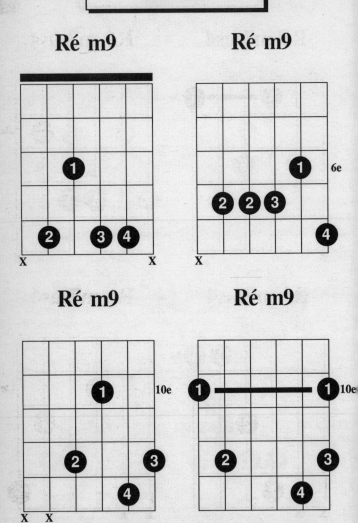

Ré m9

Ré m9

RE m7sus4

Ré m7sus4

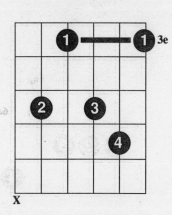

Ré m7sus4

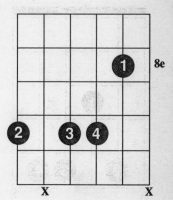

Ré m7sus4

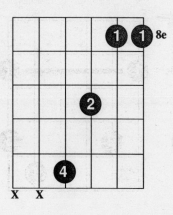

Ré m7sus4

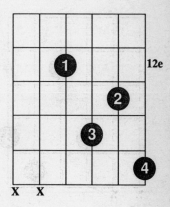

RE m7(5♭)

Ré m7(5♭)

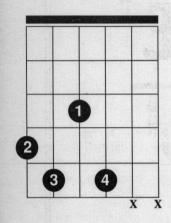

Ré m7(5♭)

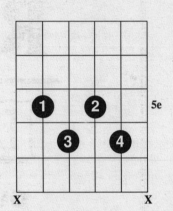

Ré m7(5♭)

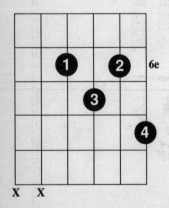

Ré m7(5♭)

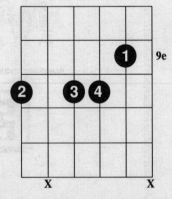

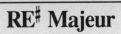

RE# Majeur

Ré#

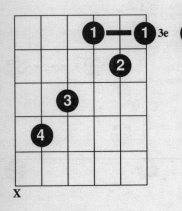

Ré#

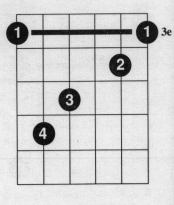

Ré#

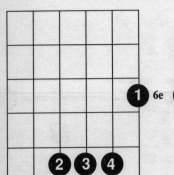

Ré#

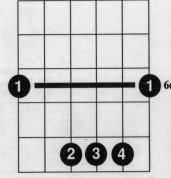

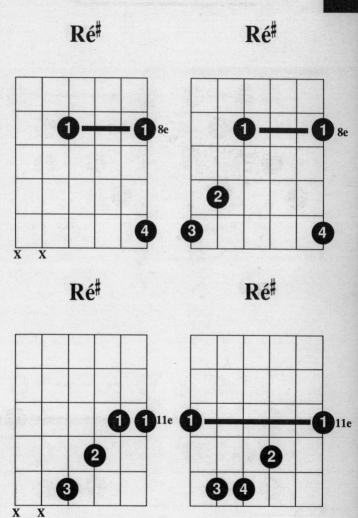

RE#7

Ré#7

Ré#7

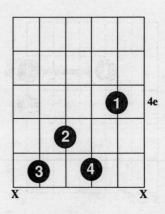

Ré#7

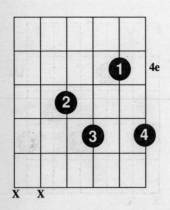

Ré#7

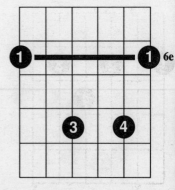

Ré#7

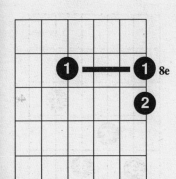

8e

Ré#7

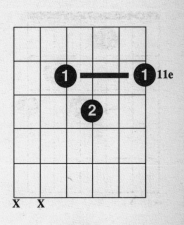

11e

Ré#7

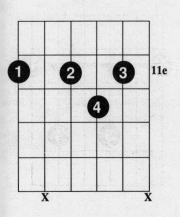

11e

Ré#7

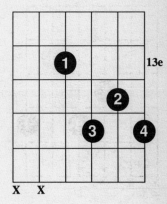

13e

RE# 7Maj.

Ré# 7M

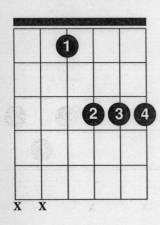

Ré# 7M

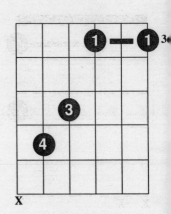

3e

Ré# 7M

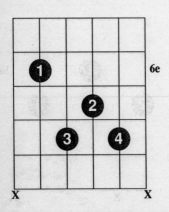

6e

Ré# 7M

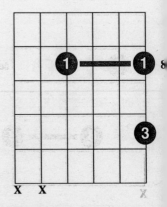

8e

RE#6

Ré#6

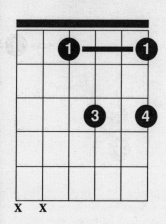

Ré#6

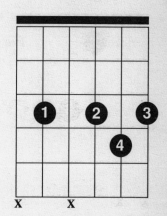

Ré#6

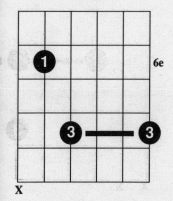

6e

Ré#6

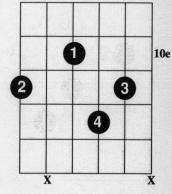

10e

Ré#9

Ré#9

Ré#9

Ré#9

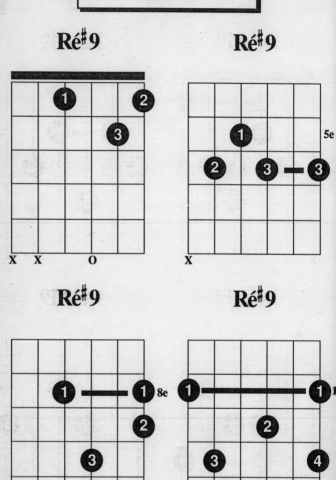

RE# Maj.9

Ré# M9

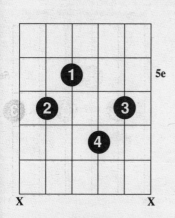

5e

Ré# M9

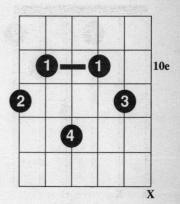

10e

Ré# M9

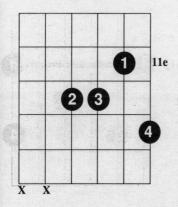

11e

Ré# M9

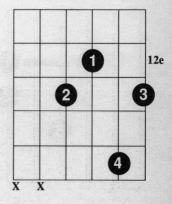

12e

RE♯ 11

Ré♯ 11

Ré♯ 11

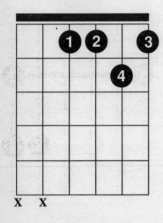

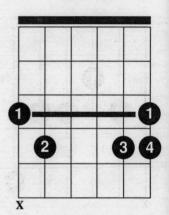

Ré♯ 11

Ré♯ 11

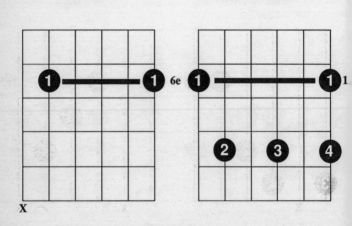

RE♯ 13

Ré♯ 13

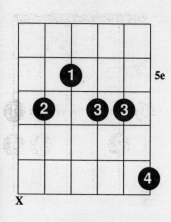

5e

Ré♯ 13

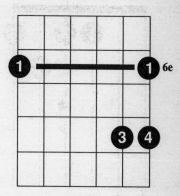

6e

Ré♯ 13

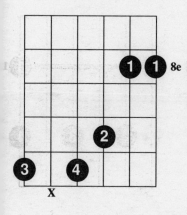

8e

Ré♯ 13

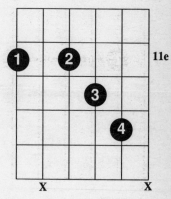

11e

RE♯ 7dim

Ré♯ 7dim

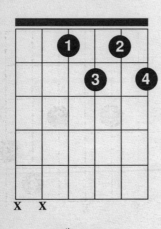

X X

Ré♯ 7dim

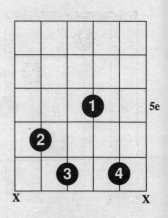

5e

X X

Ré♯ 7dim

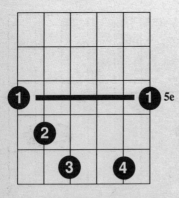

5e

Ré♯ 7dim

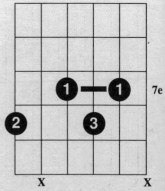

7e

X X

RE#7+

Ré#7+

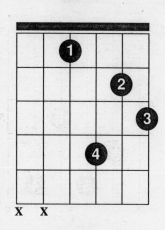

Ré#7+

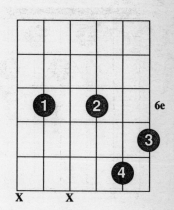

6e

Ré#7+

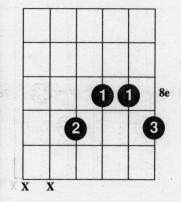

8e

Ré#7+

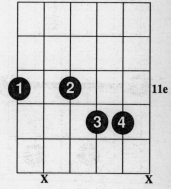

11e

Ré# 6/9

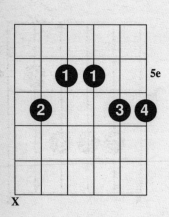

Ré# 6/9

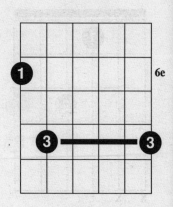

Ré# 6/9

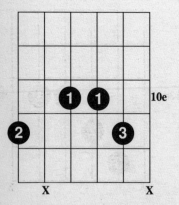

Ré# 6/9

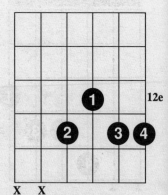

RE#7sus4 et RE#5+

Ré# 7sus4

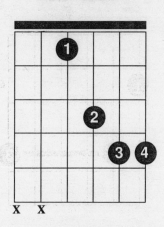

Ré# 7sus4

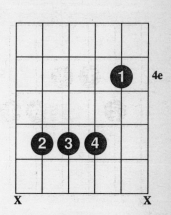

Ré#5+

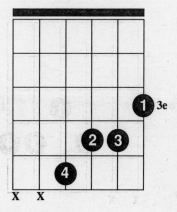

Ré#5+

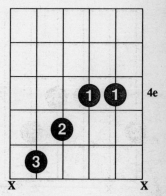

RE#m

Ré#m

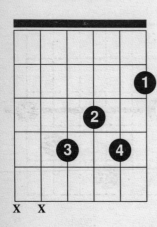

Ré#m

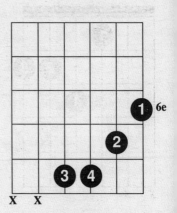

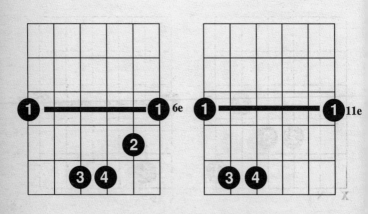

Ré#m

Ré#m

RE#m7

Ré#m7

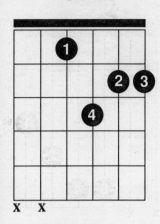

Ré#m7

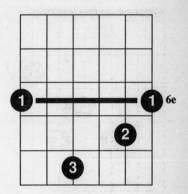

Ré#m7

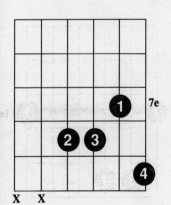

Ré#m7

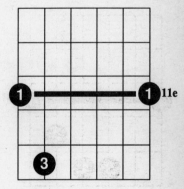

RE♯ m7M

Ré♯ m7M

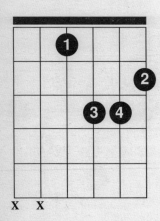

Ré♯ m7M

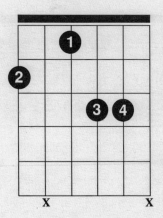

Ré♯ m7M

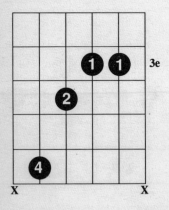

Ré♯ m7M

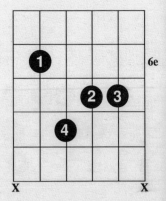

RE#m6

Ré#m6

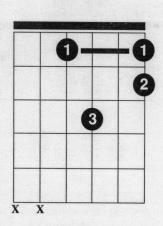

Ré#m6

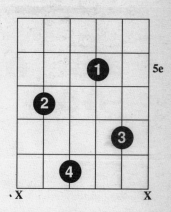

Ré#m6

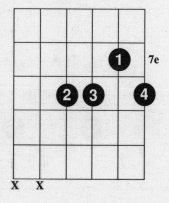

Ré#m6

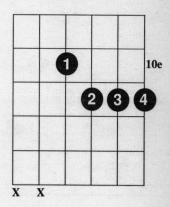

Ré# m9

Ré# m9

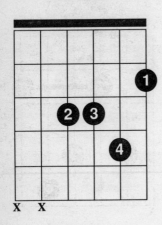

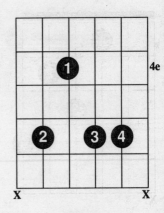

4e

Ré# m9

Ré# m9

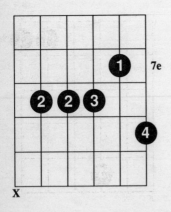

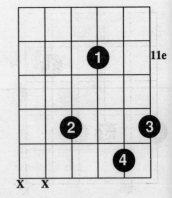

7e

11e

RE# m7sus4

Ré# m7sus4

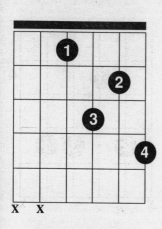

Ré# m7sus4

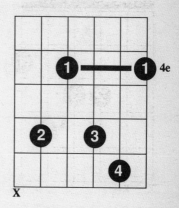

Ré# m7sus4

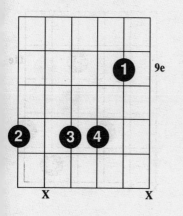

Ré# m7sus4

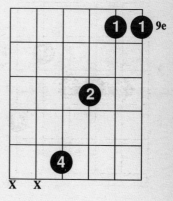

RE# m7(5♭)

Ré# m7(5♭)

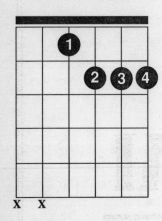

Ré# m7(5♭)

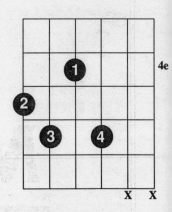

4e

Ré# m7(5♭)

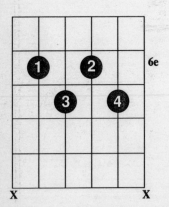

6e

Ré# m7(5♭)

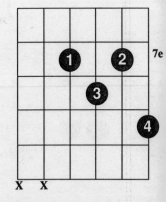

7e

$$\frac{\text{MI}}{\text{E}}$$

MI Majeur

Mi

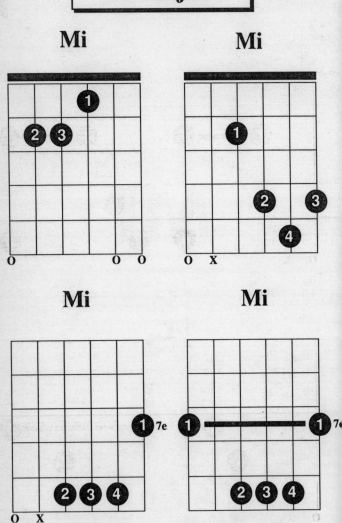

Mi

Mi

Mi

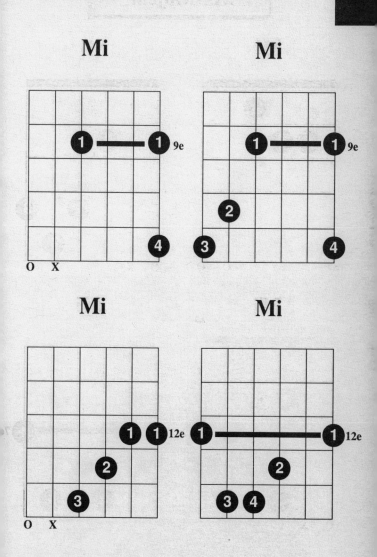

Mi

Mi

Mi

Mi

Mi 7

Mi 7

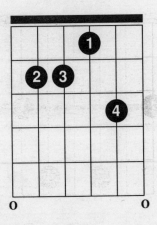

Mi 7

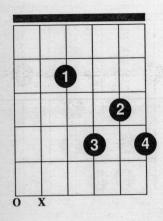

Mi 7

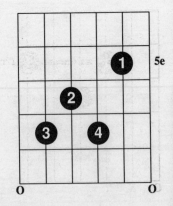

Mi 7

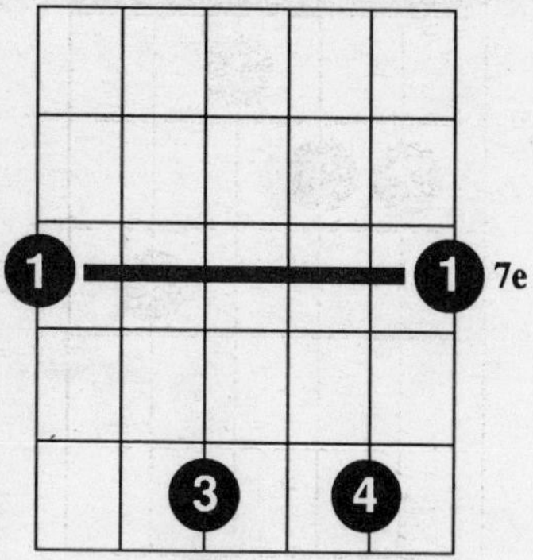

7e

Mi 7

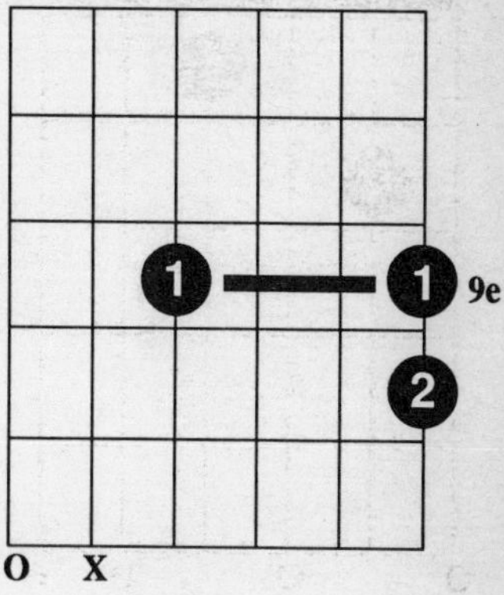

9e

O   X

Mi 7

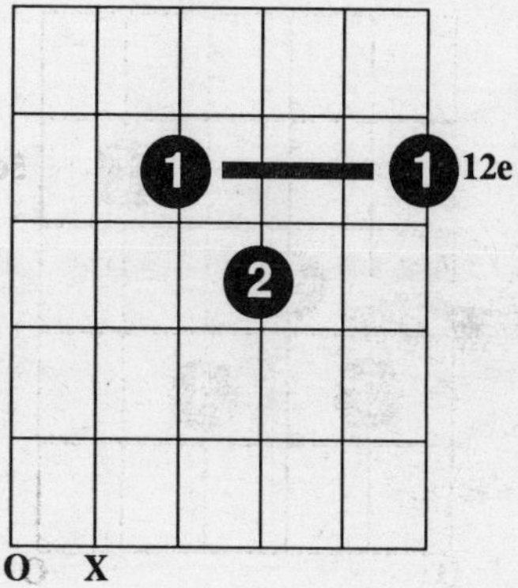

12e

O   X

Mi 7

12e

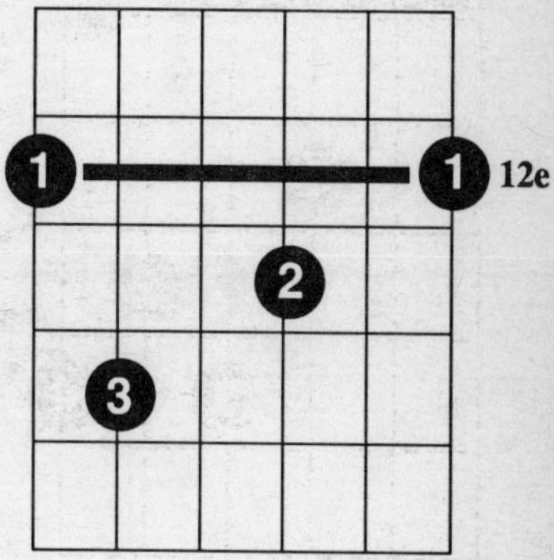

MI 7Maj.

Mi 7M

Mi 7M

Mi 7M

Mi 7M

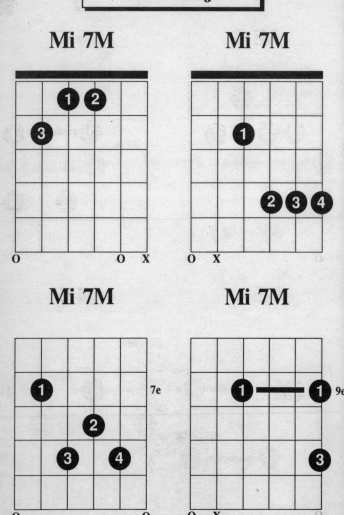

7e

9e

MI 6

Mi 6
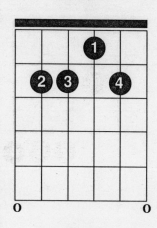

Mi 6
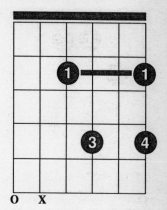

Mi 6
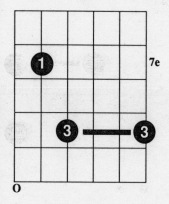

Mi 6
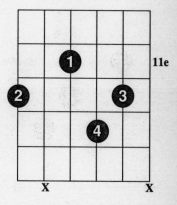

MI 9

Mi 9

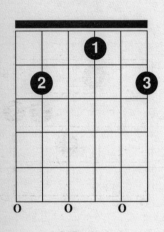

Mi 9

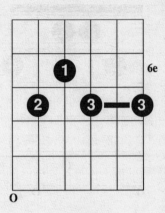

Mi 9

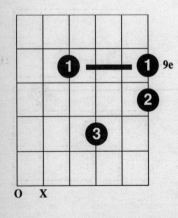

Mi 9

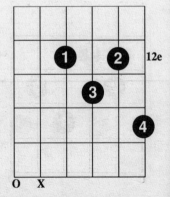

108

MI Maj.9

Mi M9

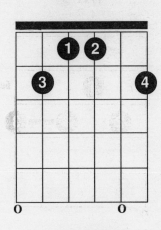

Mi M9

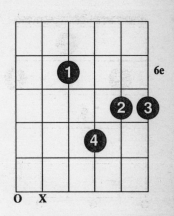

6e

Mi M9

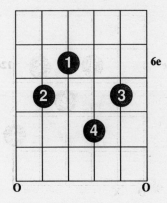

6e

Mi M9

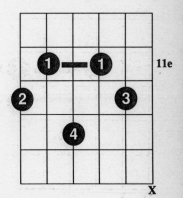

11e

Mi 11

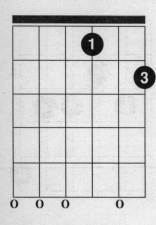

Mi 11

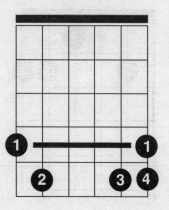

Mi 11

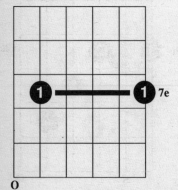

Mi 11

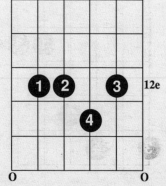

MI 13

Mi 13

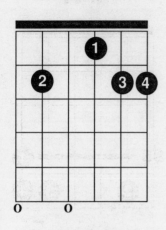

Mi 13

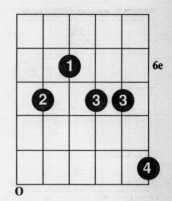

Mi 13

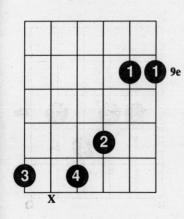

Mi 13

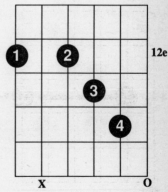

MI 7dim

Mi 7dim

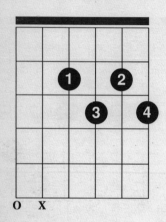

Mi 7dim

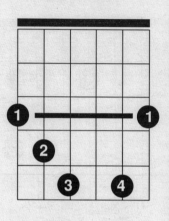

Mi 7dim

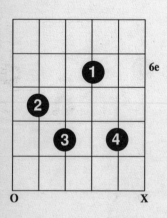

Mi 7dim

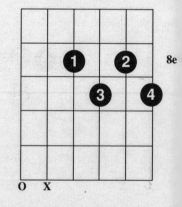

MI 7+

Mi 7+

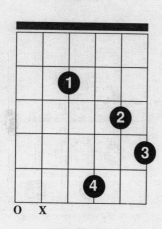

O X

Mi 7+

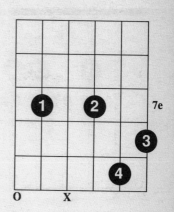

7e

O X

Mi 7+

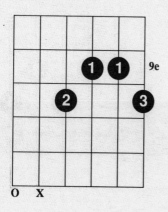

9e

O X

Mi 7+

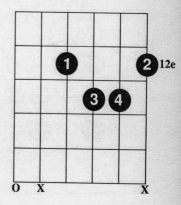

12e

O X X

MI 6/9

Mi 6/9

Mi 6/9

Mi 6/9

Mi 6/9

MI 7sus4 et MI 5+

Mi 7sus4

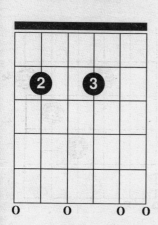

Mi 7sus4

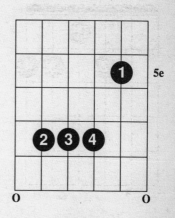

5e

Mi 5+

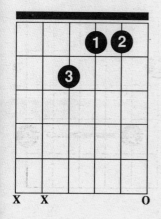

Mi 5+

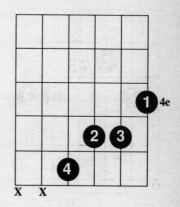

4e

MI mineur

Mi m

Mi m

Mi m

Mi m

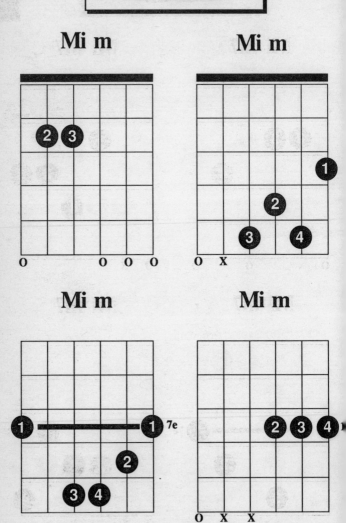

MI m7

Mi m7

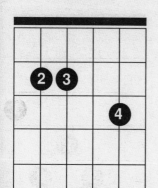

Mi m7

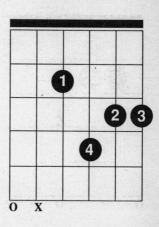

Mi m7

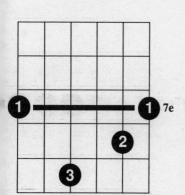

Mi m7

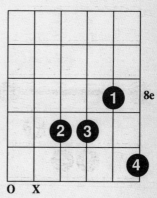

Mi m7M

Mi m7M

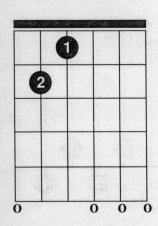

Mi m7M

Mi m7M

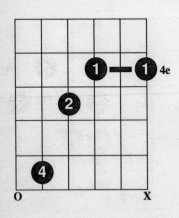

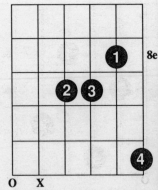

MI m6

Mi m6

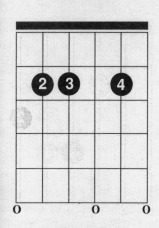

Mi m6

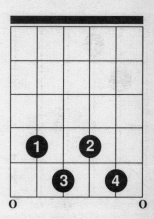

Mi m6

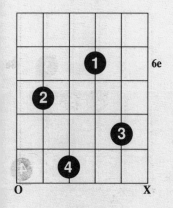

Mi m6

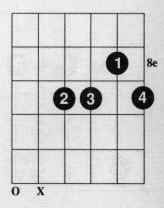

MI m9

Mi m9

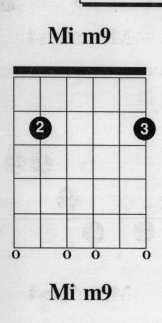

Mi m9

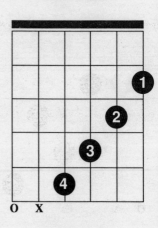

Mi m9

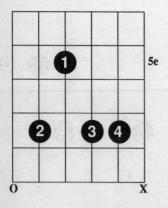

Mi m9

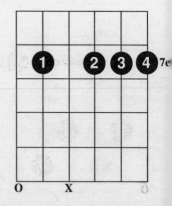

MI m7sus4

Mi m7sus4

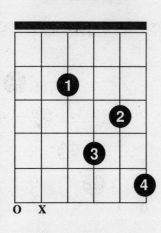

Mi m7sus4

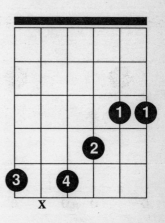

Mi m7sus4

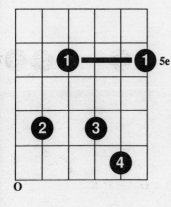

Mi m7sus4

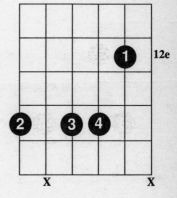

MI m7(5♭)

Mi m7(5♭)

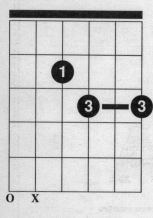

Mi m7(5♭)

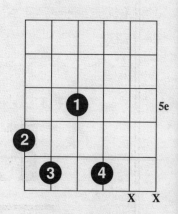

Mi m7(5♭)

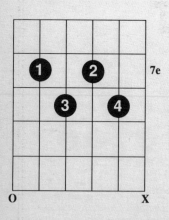

Mi m7(5♭)

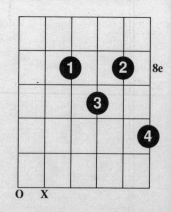

FA / F

FA Majeur

Fa
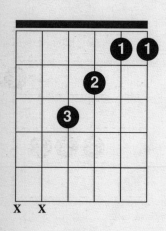

Fa
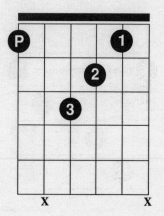

Fa
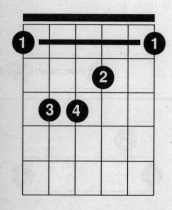

Fa
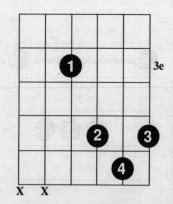

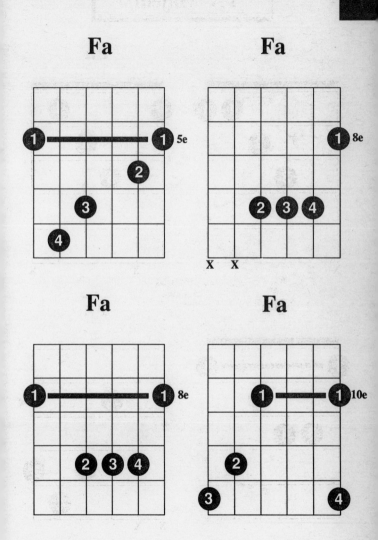

FA 7

Fa 7

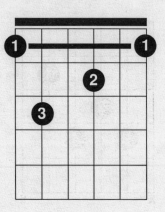

Fa 7

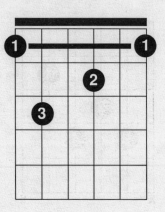

Fa 7

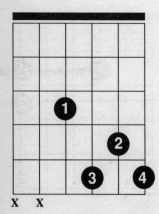

Fa 7

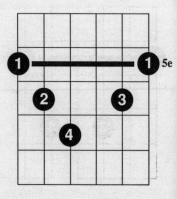

5e

Fa 7

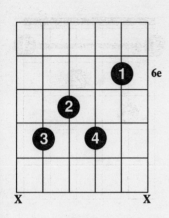

Fa 7

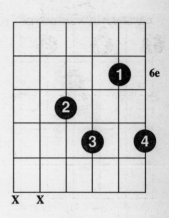

Fa 7

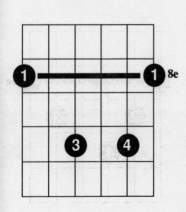

Fa 7

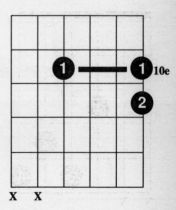

FA 7Maj.

Fa 7M

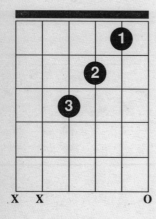

Fa 7M

Fa 7M

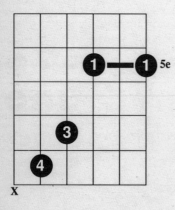

Fa 7M

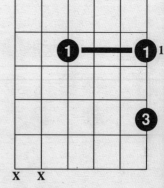

FA 6

Fa 6

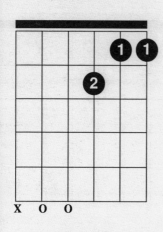

Fa 6

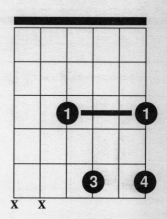

Fa 6

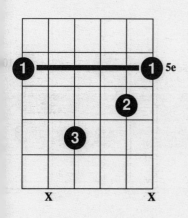

Fa 6

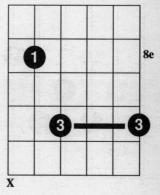

FA 9

Fa 9

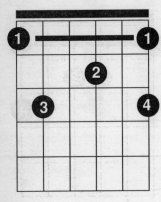

Fa 9

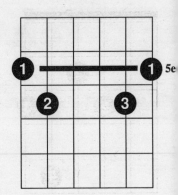

Fa 9

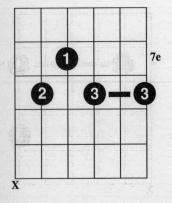

Fa 9

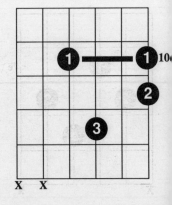

FA Maj.9

Fa M9

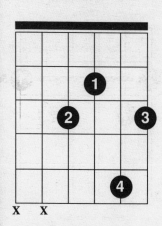

Fa M9

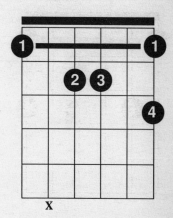

Fa M9

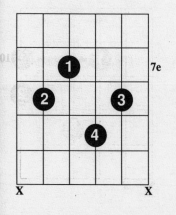

Fa M9

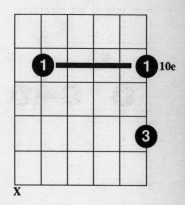

FA 11

Fa 11

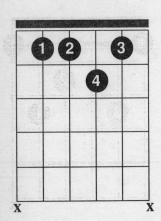

Fa 11

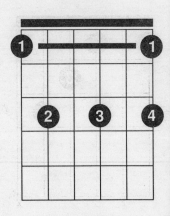

Fa 11

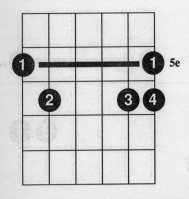

Fa 11

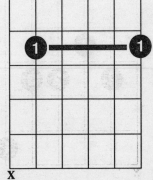

FA 13

Fa 13

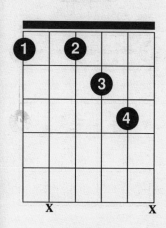

Fa 13

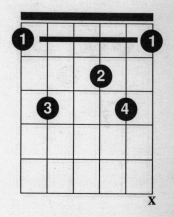

Fa 13

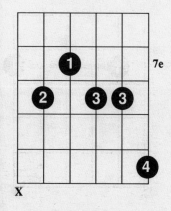

Fa 13

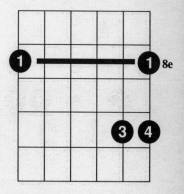

Fa 7dim

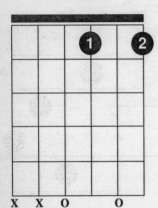

Fa 7dim

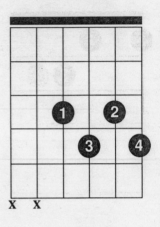

Fa 7dim

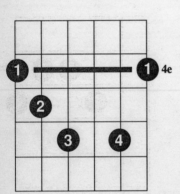

Fa 7dim

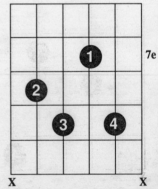

FA 7+

Fa 7+

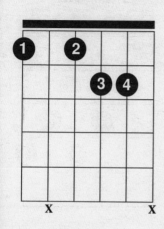

X   X

Fa 7+

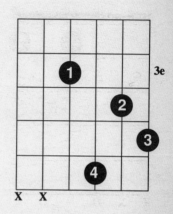

3e

X   X

Fa 7+

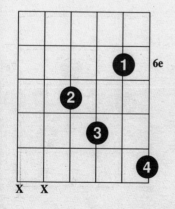

6e

X   X

Fa 7+

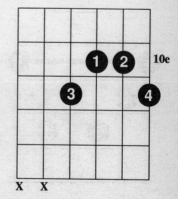

10e

X   X

FA 6/9

Fa 6/9

Fa 6/9

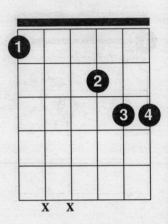

Fa 6/9

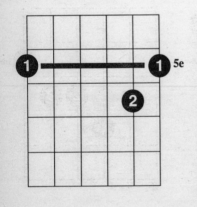

Fa 6/9

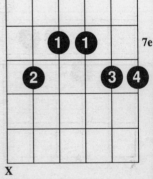

FA 7sus4 et FA5⁺

Fa 7sus4

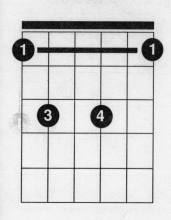

Fa 7sus4

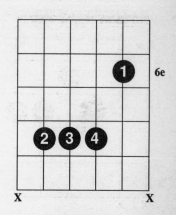

6e

Fa 5⁺

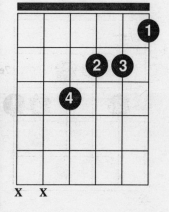

Fa 5⁺

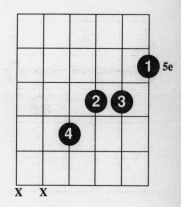

5e

FA mineur

Fa m

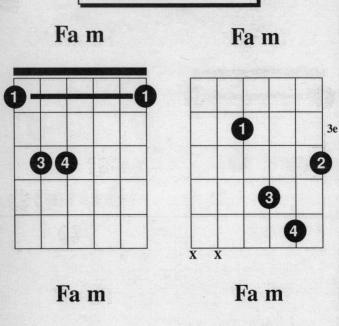

Fa m

Fa m

Fa m

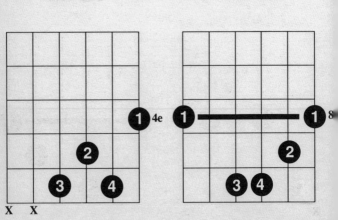

FA m7

Fa m7

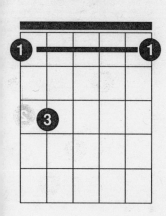

Fa m7

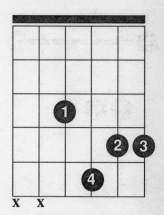

Fa m7

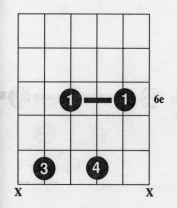

Fa m7

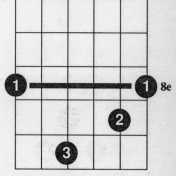

FA m7Maj.

Fa m7M

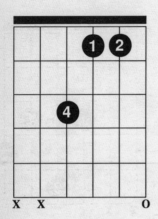

X   X   O

Fa m7M

X   X

Fa m7M

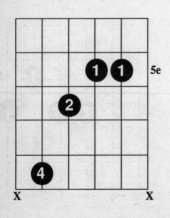

X   X

5e

Fa m7M

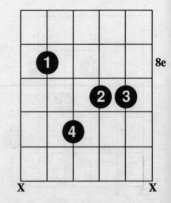

X   X

8e

FA m6

Fa m6

X X O

Fa m6

X X

Fa m6

6e

X X

Fa m6

9e

X X

FA m9

Fa m9

Fa m9

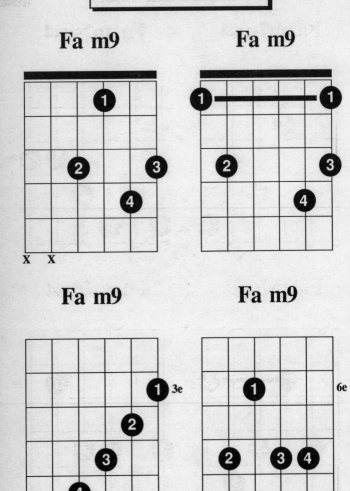

Fa m9

Fa m9

FA m7sus4

Fa m7sus4

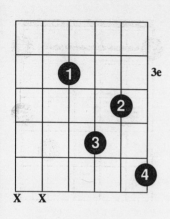

3e

Fa m7sus4

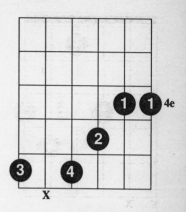

4e

Fa m7sus4

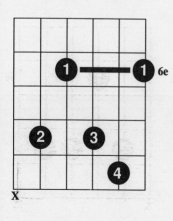

6e

Fa m7sus4

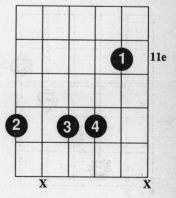

11e

FA m7(5♭)

Fa m7(5♭)

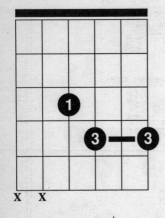

Fa m7(5♭)

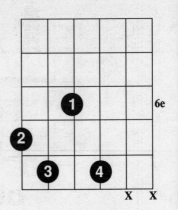

6e

Fa m7(5♭)

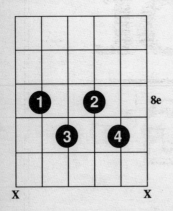

8e

Fa m7(5♭)

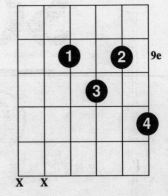

9e

FA#
F#

ou

SOL♭
G♭

FA# Majeur

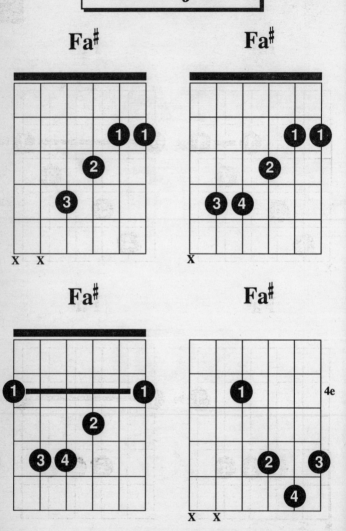

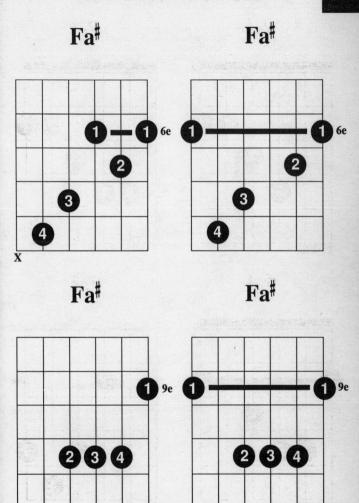

FA#7

Fa#7

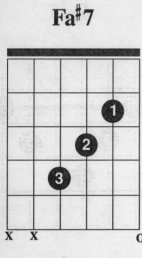

X X

Fa#7

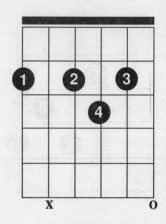

X   O

Fa#7

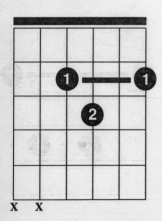

X X

Fa#7

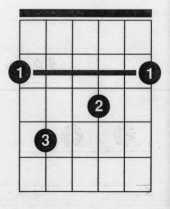

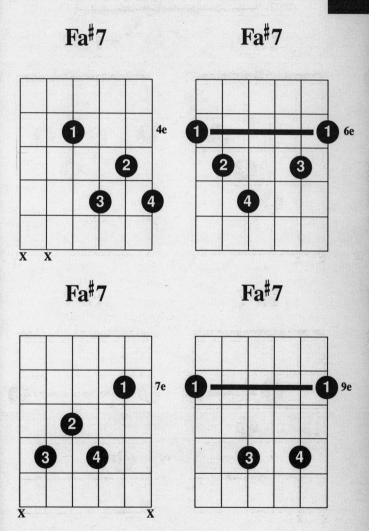

Fa#7

Fa#7

4e

6e

Fa#7

Fa#7

7e

9e

FA♯ 7Maj.

Fa♯ 7M

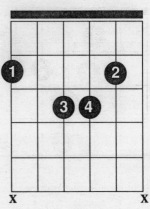

Fa♯ 7M

Fa♯ 7M

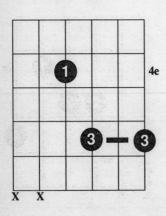

Fa♯ 7M

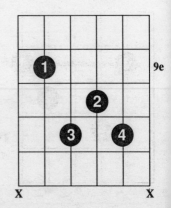

FA#6

Fa#6

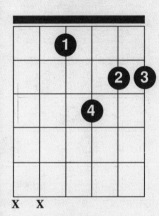

Fa#6

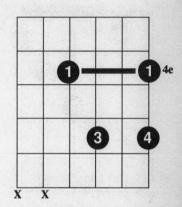

Fa#6

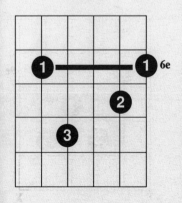

Fa#6

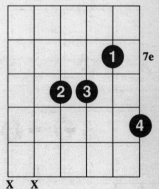

Fa#9

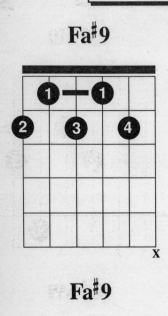

Fa#9

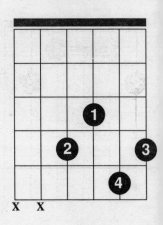

Fa#9

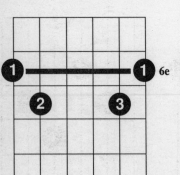

Fa#9

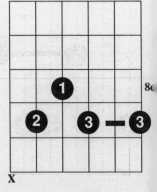

FA# Maj.9

Fa# M9

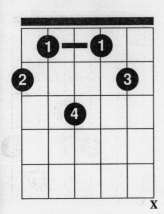

Fa# M9

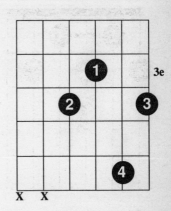

3e

Fa# M9

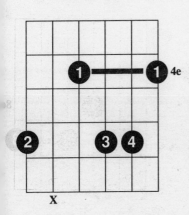

4e

Fa# M9

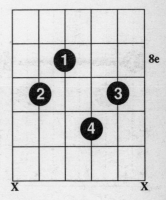

8e

Fa#11

Fa#11

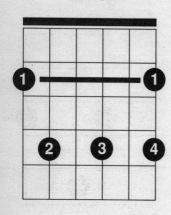

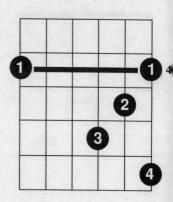

Fa#11

Fa#11

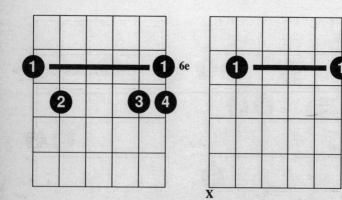

FA#13

Fa#13

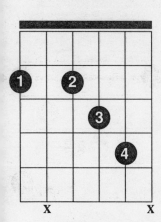

Fa#13

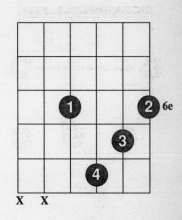

Fa#13

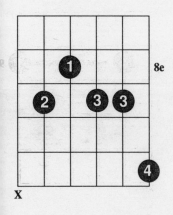

Fa#13

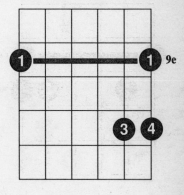

FA♯ 7dim

Fa♯ 7dim

Fa♯ 7dim

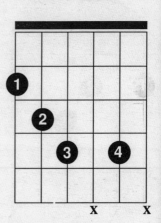

Fa♯ 7dim

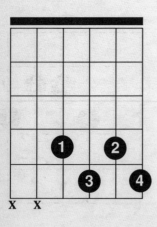

Fa♯ 7dim

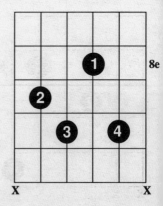

8e

FA#7+

Fa#7+

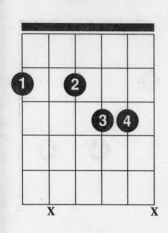

X   X

Fa#7+

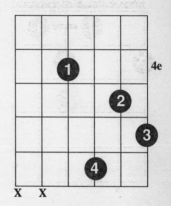

4e

X   X

Fa#7+

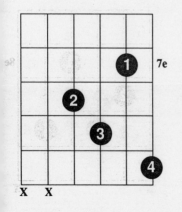

7e

X   X

Fa#7+

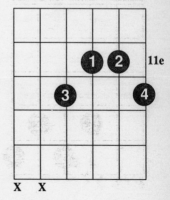

11e

X   X

FA# 6/9

Fa# 6/9

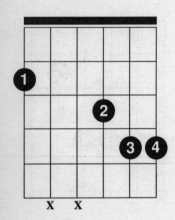

Fa# 6/9

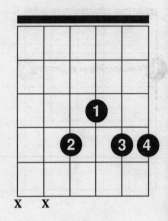

Fa# 6/9

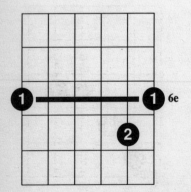

Fa# 6/9

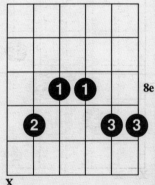

FA#7sus4 et FA#5+

Fa# 7sus4

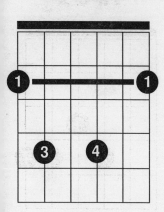

Fa# 7sus4

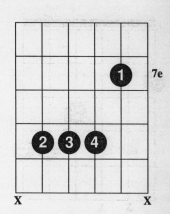

7e

Fa# 5+

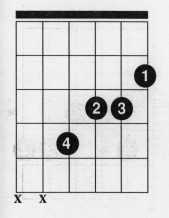

Fa# 5+

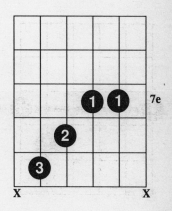

7e

FA#m

Fa#m

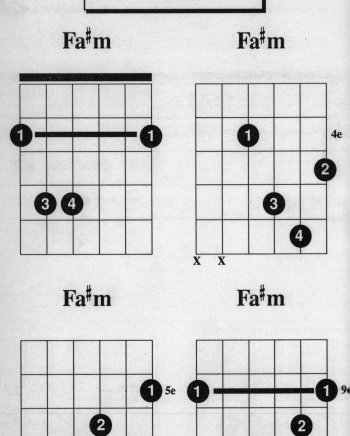

Fa#m

4e

Fa#m

5e

Fa#m

9

FA#m7

Fa#m7

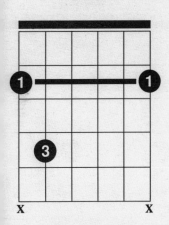

Fa#m7

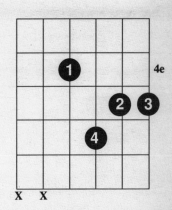

4e

Fa#m7

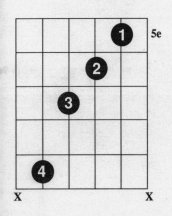

5e

Fa#m7

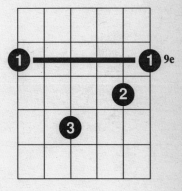

9e

FA♯ m7Maj.

Fa♯ m7M

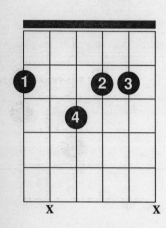

Fa♯ m7M

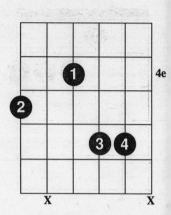

4e

Fa♯ m7M

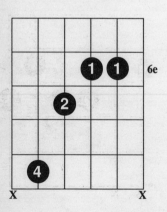

6e

Fa♯ m7M

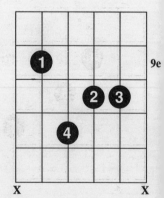

9e

FA#m6

Fa#m6

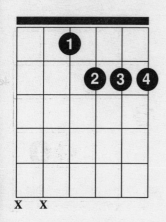

Fa#m6

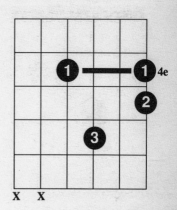

Fa#m6

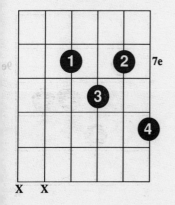

Fa#m6

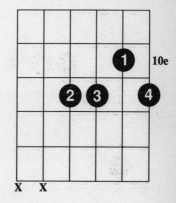

Fa#m9

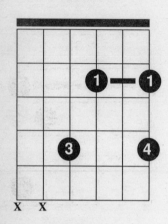

Fa#m9

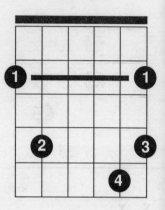

Fa#m9

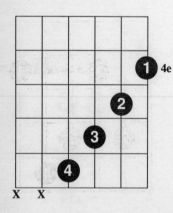

Fa#m9

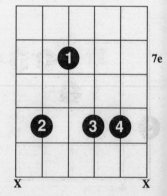

FA# m7sus4

Fa# m7sus4

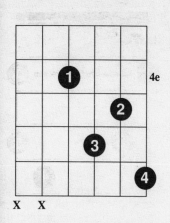

Fa# m7sus4

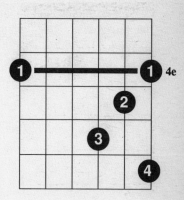

Fa# m7sus4

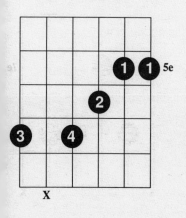

Fa# m7sus4

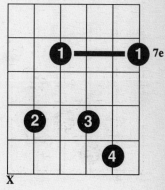

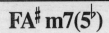

FA♯ m7(5♭)

Fa♯ m7(5♭)

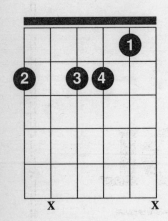

Fa♯ m7(5♭)

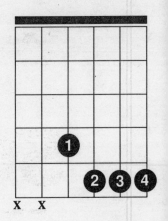

Fa♯ m7(5♭)

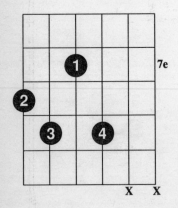

Fa♯ m7(5♭)

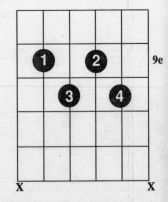

SOL

G

SOL Majeur

Sol
Sol
Sol
Sol

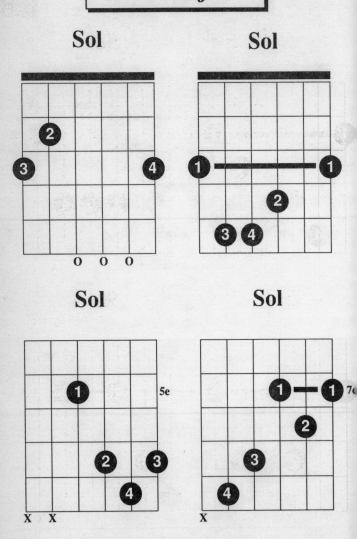

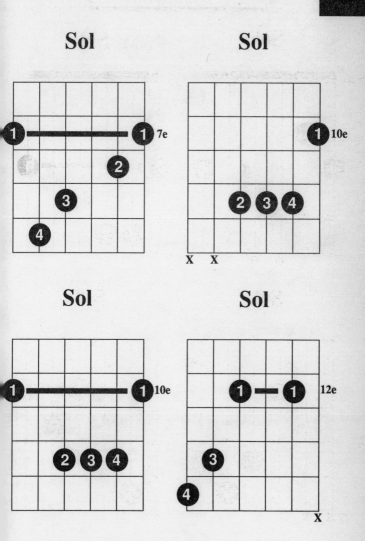

Sol

Sol

Sol

Sol

Sol 7

Sol 7

Sol 7

Sol 7

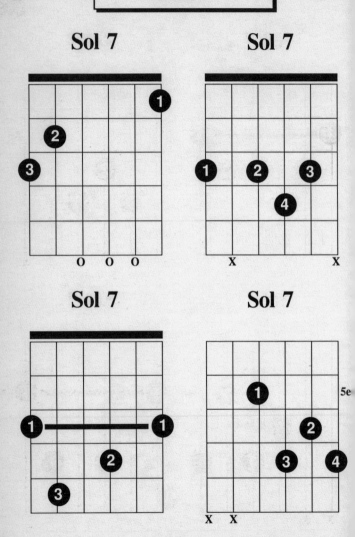

Sol 7

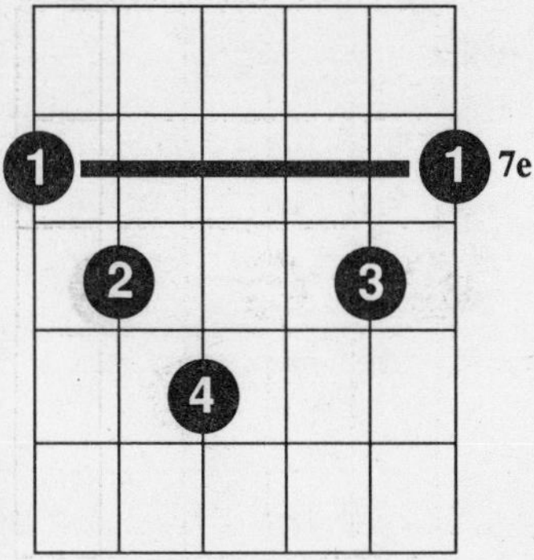

7e

Sol 7

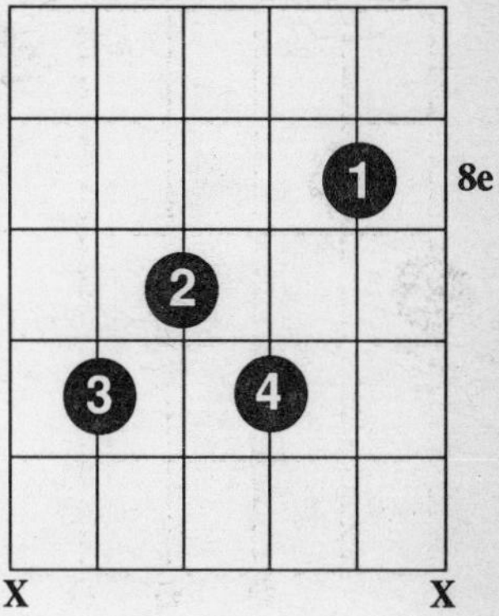

8e

X   X

Sol 7

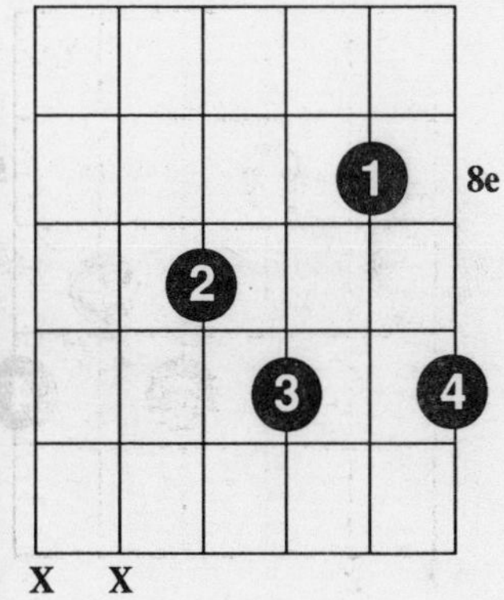

8e

X   X

Sol 7

10e

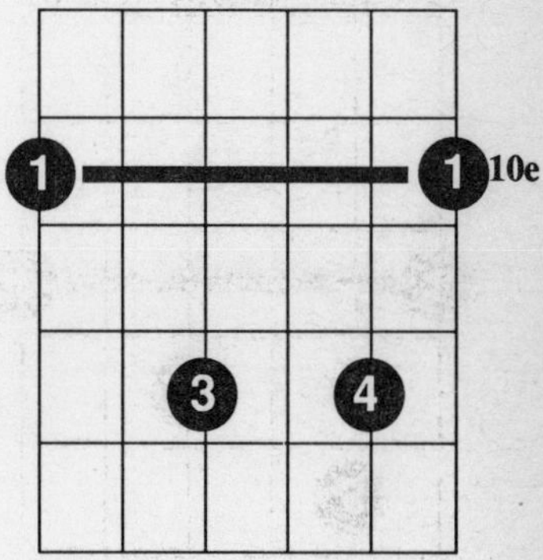

SOL 7Maj.

Sol 7M

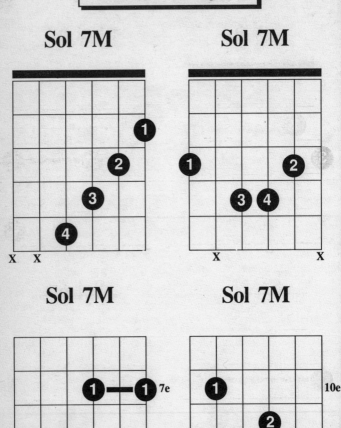

Sol 7M

Sol 7M

7e

Sol 7M

10e

SOL 6

Sol 6
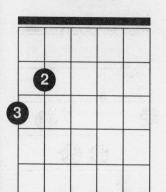

Sol 6
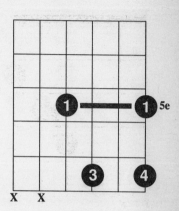

Sol 6
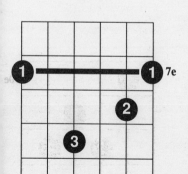

Sol 6
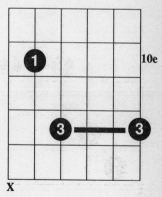

Sol 9

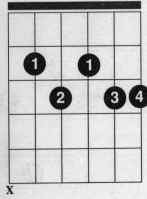

Sol 9

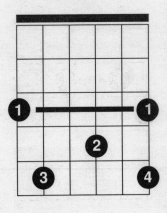

Sol 9

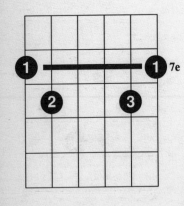

Sol 9

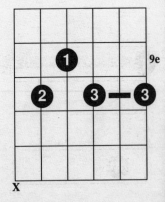

SOL Maj.9

Sol M9

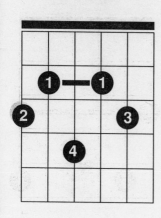

Sol M9

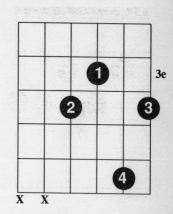

3e

Sol M9

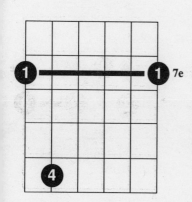

7e

Sol M9

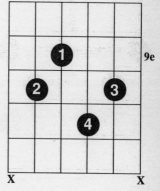

9e

SOL 11

Sol 11

Sol 11

Sol 11

Sol 11

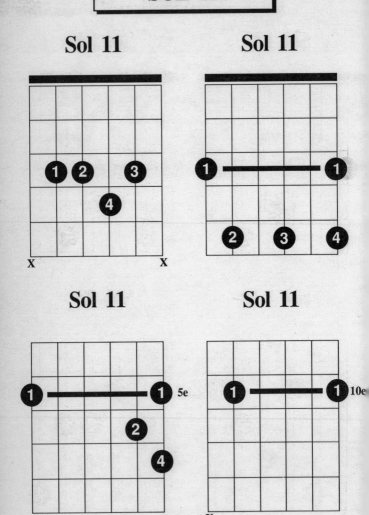

SOL 13

Sol 13

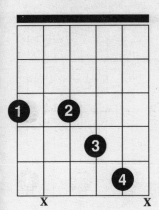

Sol 13

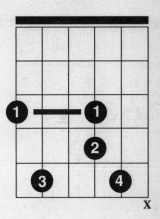

Sol 13

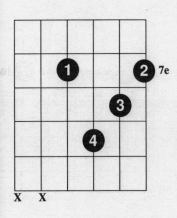

Sol 13

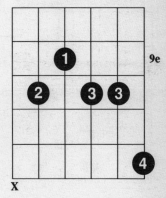

SOL 7dim

Sol 7dim

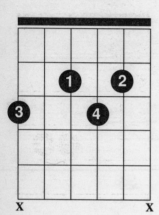

Sol 7dim

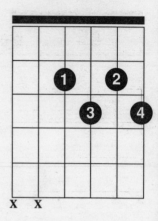

Sol 7dim

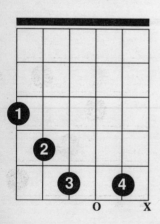

Sol 7dim

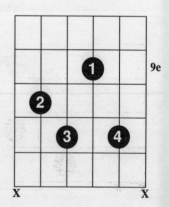

9e

SOL 7+

Sol 7+

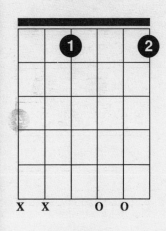

Sol 7+

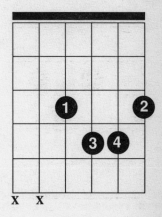

Sol 7+

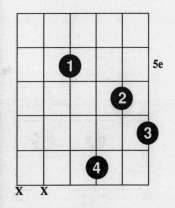

Sol 7+

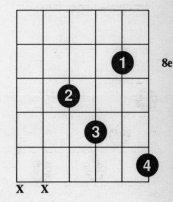

SOL 6/9

Sol 6/9

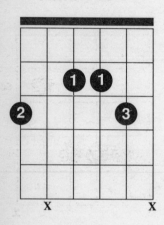

Sol 6/9

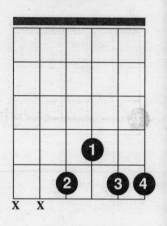

Sol 6/9

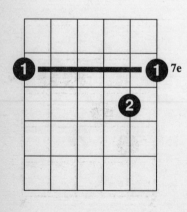

Sol 6/9

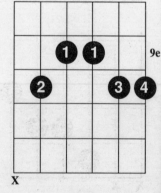

SOL 7sus4 et SOL5⁺

Sol 7sus4

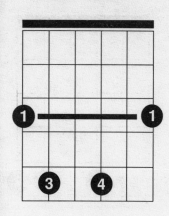

Sol 7sus4

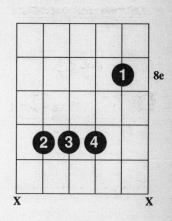

Sol 5⁺

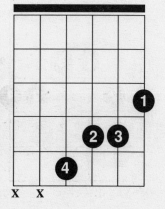

Sol 5⁺

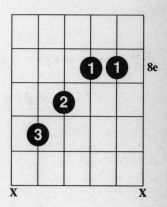

SOL mineur

Sol m

Sol m

Sol m

Sol m

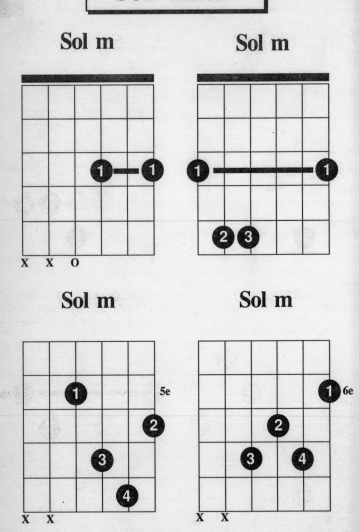

SOL m7

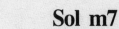

Sol m7

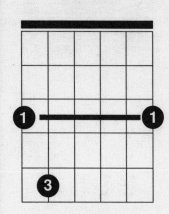

Sol m7

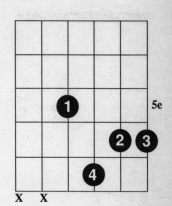

5e

Sol m7

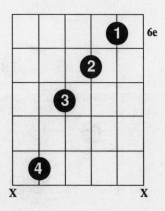

Sol m7

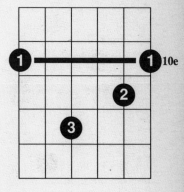

SOL m7Maj.

Sol m7M

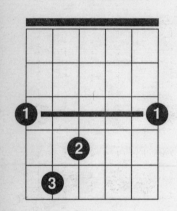

Sol m7M

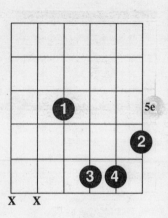

Sol m7M

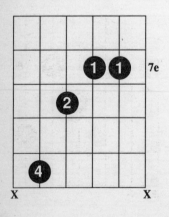

Sol m7M

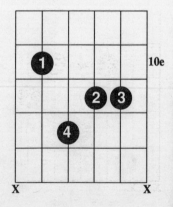

SOL m6

Sol m6

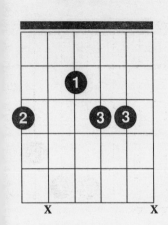

Sol m6

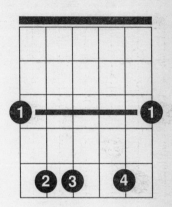

Sol m6

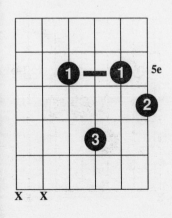

Sol m6

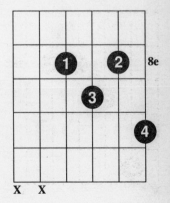

SOL m9

Sol m9

Sol m9

Sol m9

Sol m9

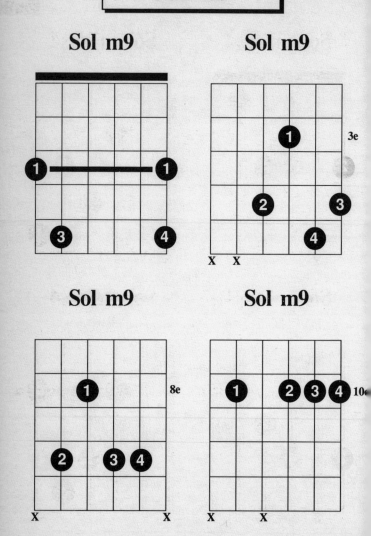

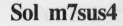

SOL m7sus4

Sol m7sus4

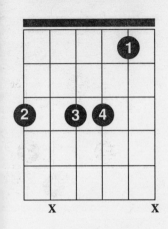

Sol m7sus4

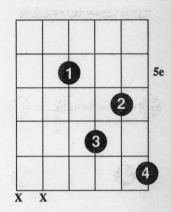

Sol m7sus4

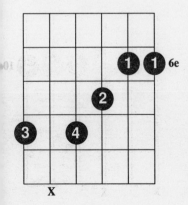

Sol m7sus4

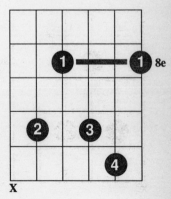

SOL m7(5♭)

Sol m7(5♭)

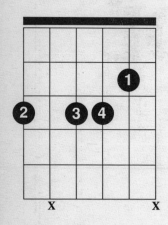

Sol m7(5♭)

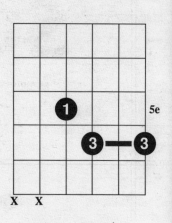

Sol m7(5♭)

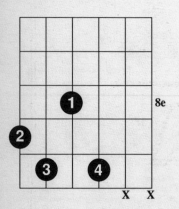

Sol m7(5♭)

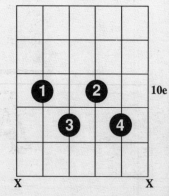

SOL#
G#
ou
LAb
Ab

SOL♯ Majeur

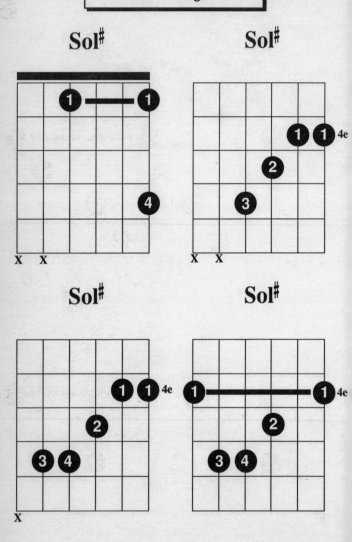

Sol#

Sol#

Sol#

Sol#

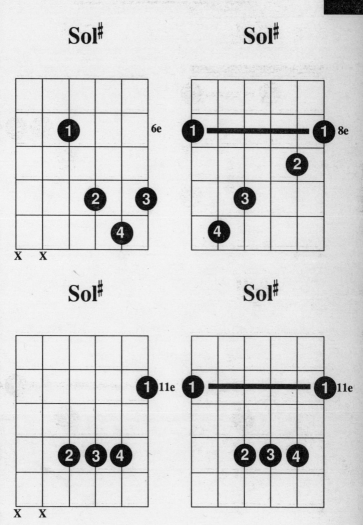

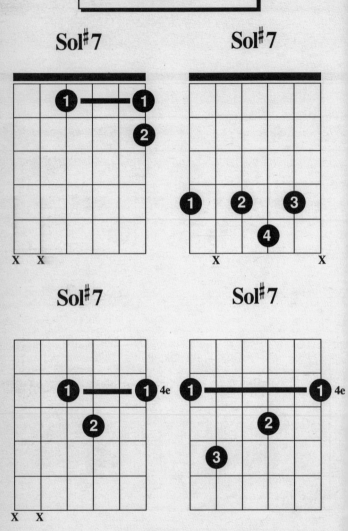

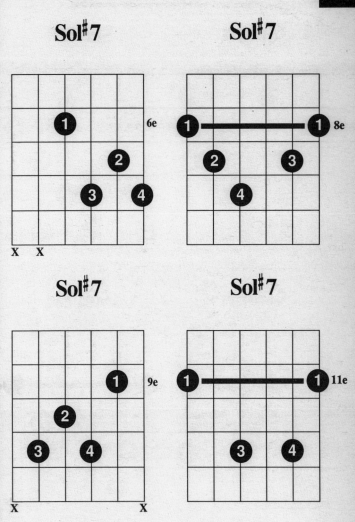

SOL# 7Maj.

Sol# 7M

Sol# 7M

Sol# 7M

6e

Sol# 7M

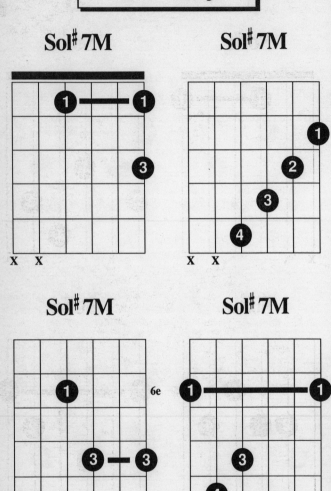

SOL#6

Sol#6
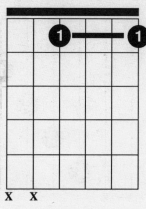

Sol#6
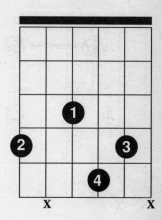

Sol#6
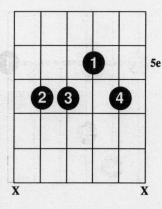

Sol#6
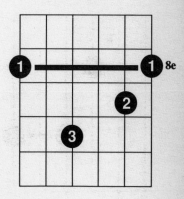

SOL#9

Sol#9

Sol#9

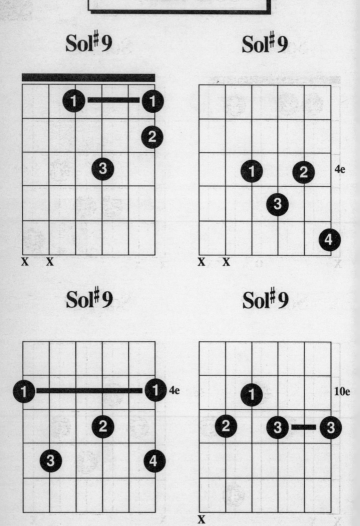

Sol#9

Sol#9

SOL# Maj.9

Sol# M9

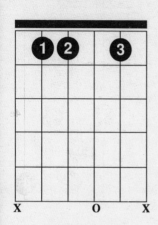

X   O   X

Sol# M9

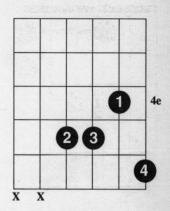

4e

X   X

Sol# M9

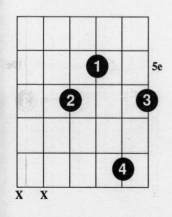

5e

X   X

Sol# M9

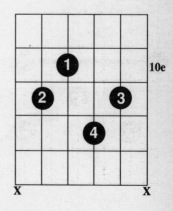

10e

X   X

SOL#11

Sol#11

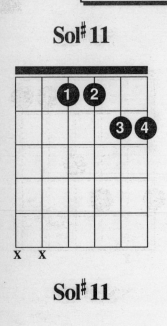

X X

Sol#11

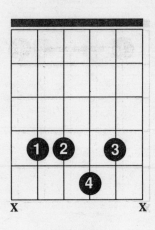

X   X

Sol#11

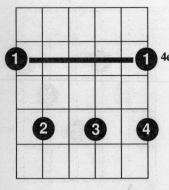

4e

Sol#11

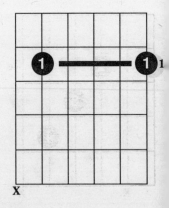

X

198

SOL# 13

Sol# 13

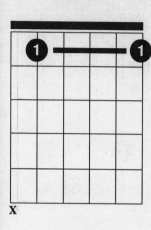

Sol# 13

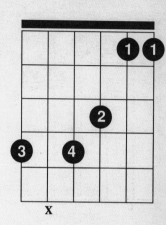

Sol# 13

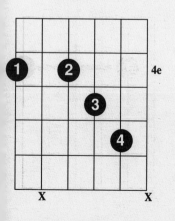

Sol# 13

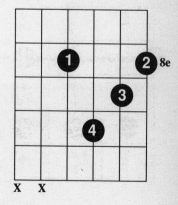

SOL# 7dim

Sol# 7dim

Sol# 7dim

Sol# 7dim

Sol# 7dim

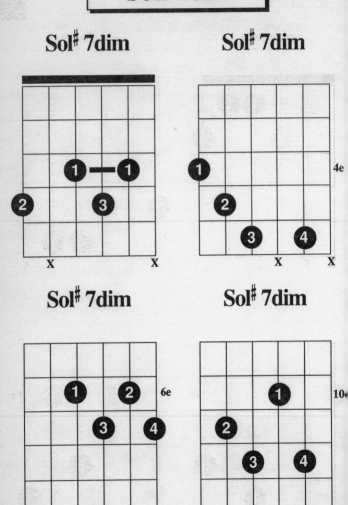

SOL#7+

Sol#7+

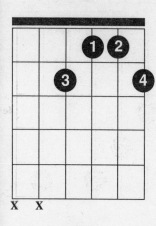

Sol#7+

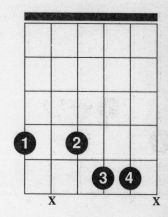

Sol#7+

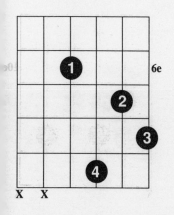

Sol#7+

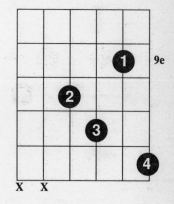

SOL♯ 6/9

Sol♯ 6/9

Sol♯ 6/9

Sol♯ 6/9

Sol♯ 6/9

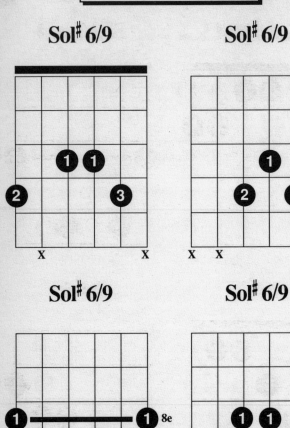

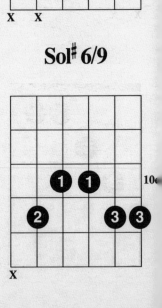

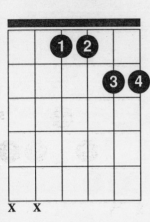

SOL#7sus4 et SOL#5+

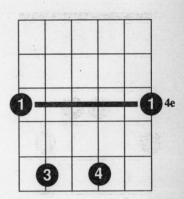

Sol# 7sus4

Sol# 7sus4

Sol# 5+

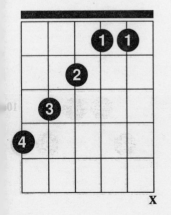

Sol# 5+

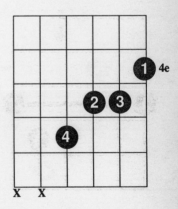

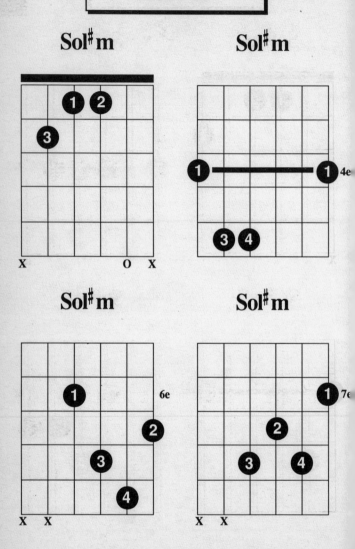

SOL#m

Sol#m

Sol#m

Sol#m

Sol#m

SOL#m7

Sol#m7

Sol#m7

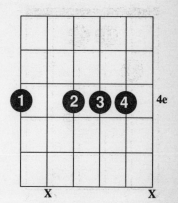

Sol#m7

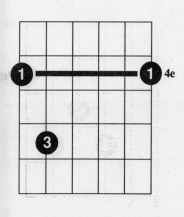

Sol#m7

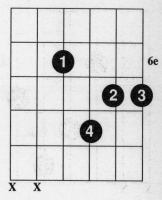

SOL♯ m7M

Sol♯ m7M

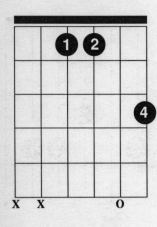

Sol♯ m7M

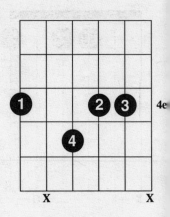

Sol♯ m7M

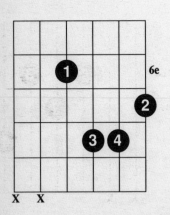

Sol♯ m7M

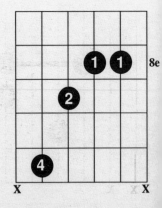

SOL# m6

Sol# m6

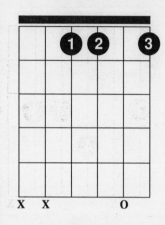

Sol# m6

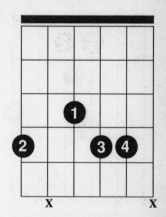

Sol# m6

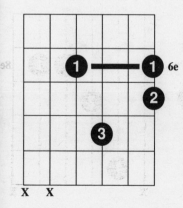

Sol# m6

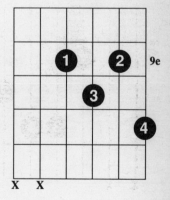

Sol#m9

Sol#m9

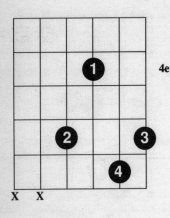

4e

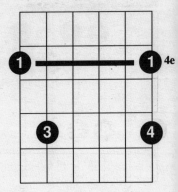

Sol#m9

Sol#m9

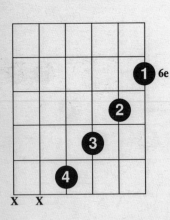

6e

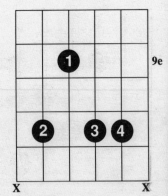

9e

SOL♯ m7sus4

Sol♯ m7sus4

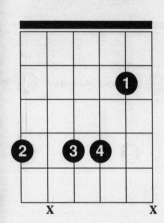

Sol♯ m7sus4

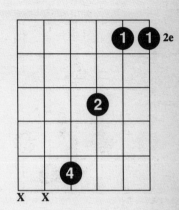

2e

Sol♯ m7sus4

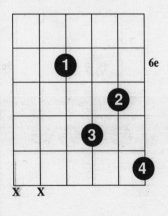

6e

Sol♯ m7sus4

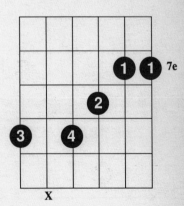

7e

SOL# m7(5♭)

Sol# m7(5♭)

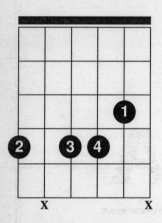

Sol# m7(5♭)

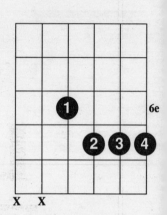

6e

Sol# m7(5♭)

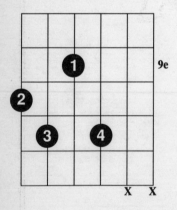

9e

Sol# m7(5♭)

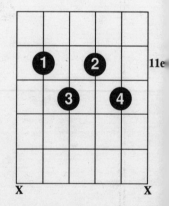

11e

$$\frac{LA}{A}$$

LA Majeur

La

La

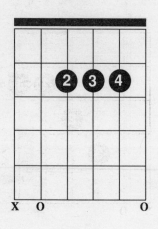

La

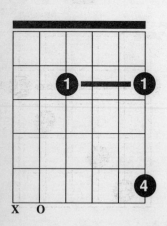

La

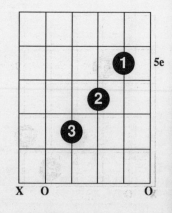

La

La

La

La

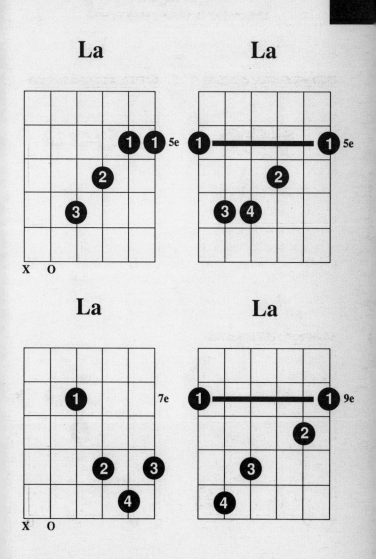

LA7

La 7

La 7

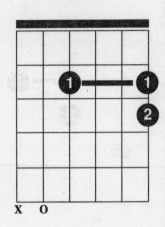

La 7

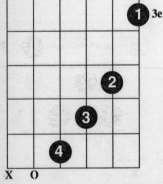

La 7

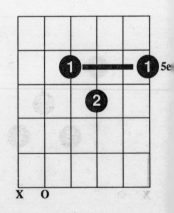

La 7

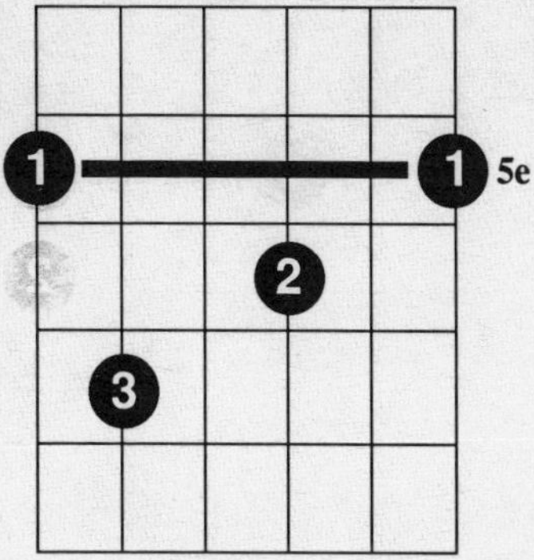

La 7

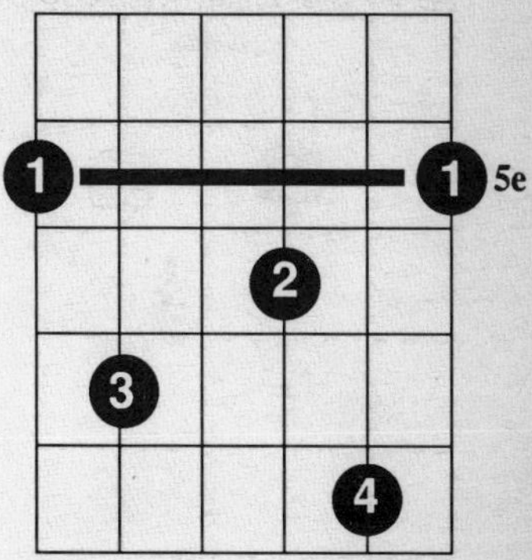

La 7

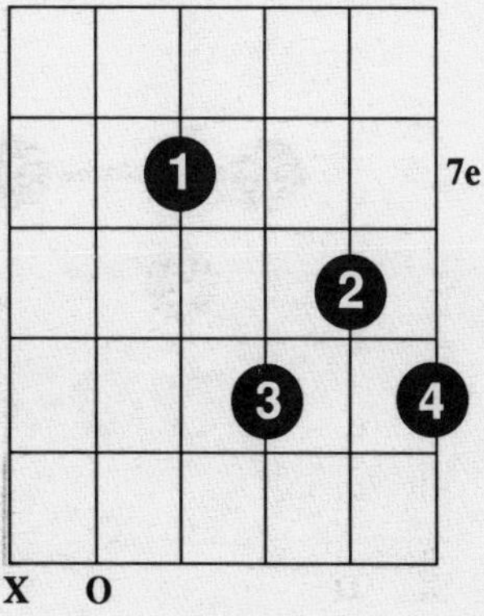

La 7

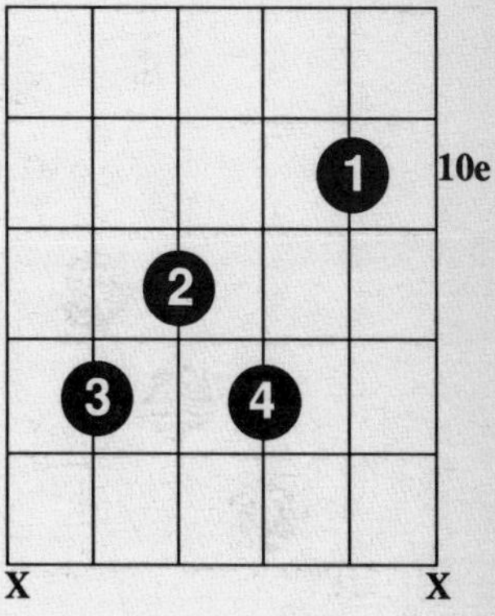

LA 7Maj.

La 7M

La 7M

La 7M

La 7M

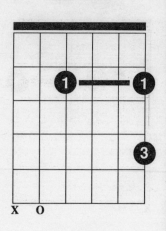
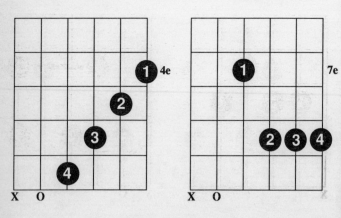

LA 6

La 6

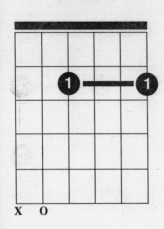

La 6

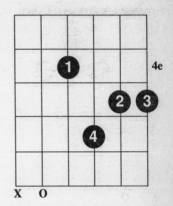

La 6

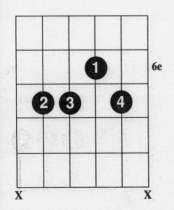

La 6

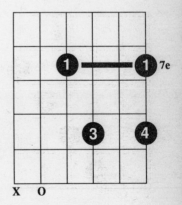

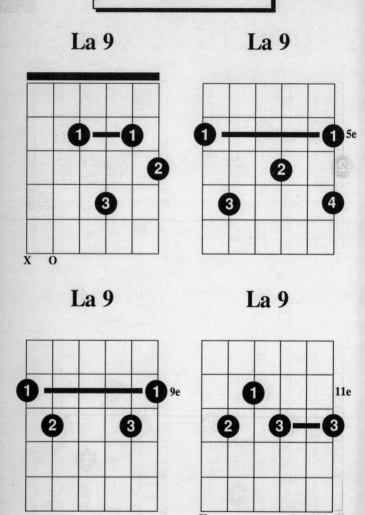

La 9

La 9

La 9

La 9

LA Maj.9

La M9

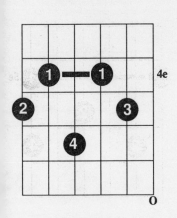

4e

0

La M9

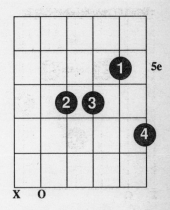

5e

X 0

La M9

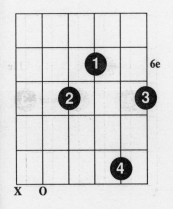

6e

X 0

La M9

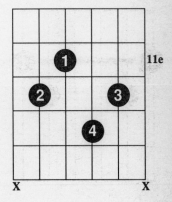

11e

X   X

La 11

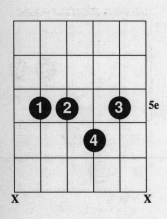

5e

X   X

La 11

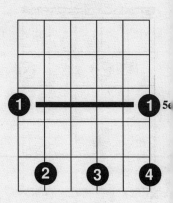

5e

La 11

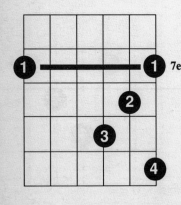

7e

La 11

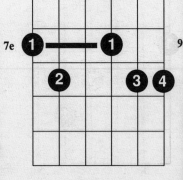

9e

LA 13

La 13

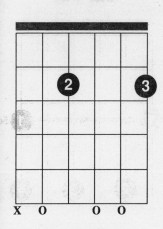

La 13

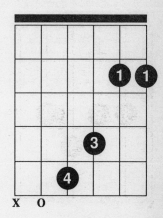

La 13

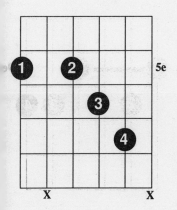

La 13

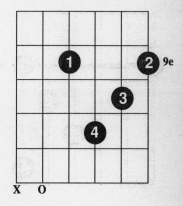

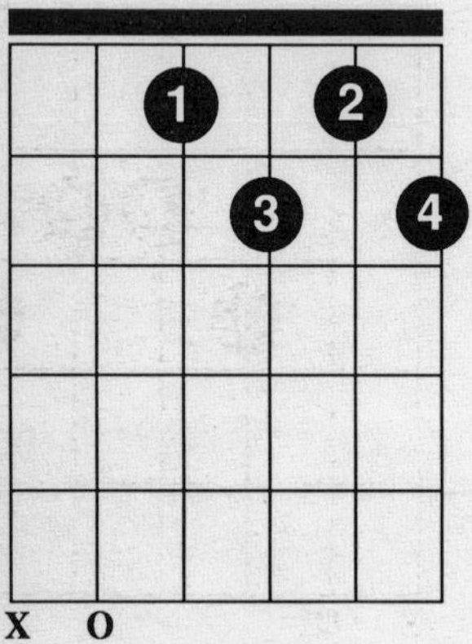

LA 7dim

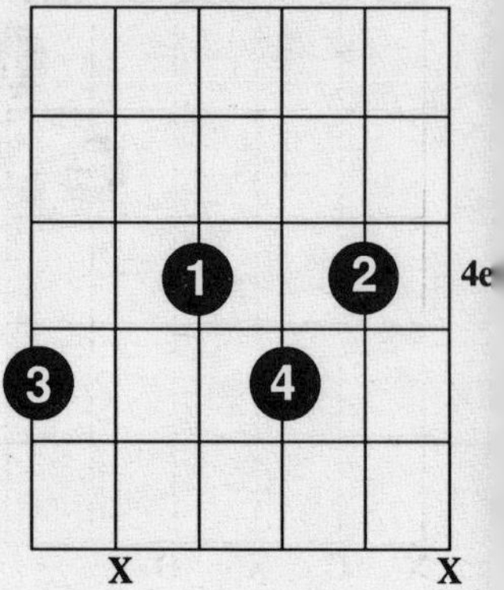

La 7dim

La 7dim

4e

La 7dim

5e

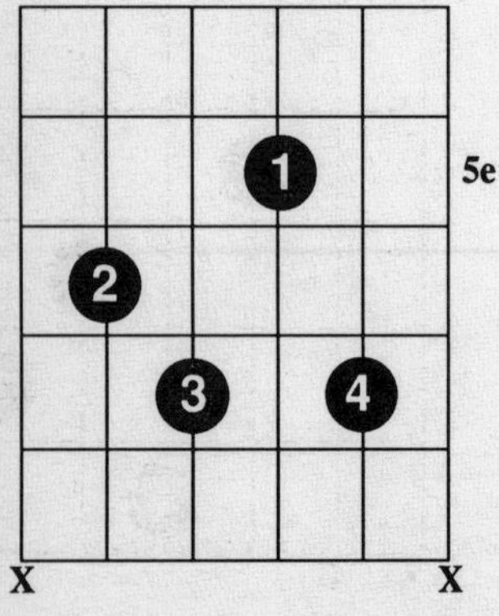

La 7dim

7e

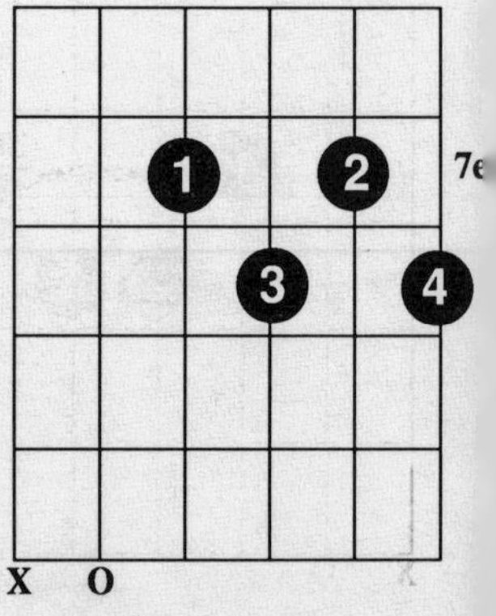

LA 7+

La 7+

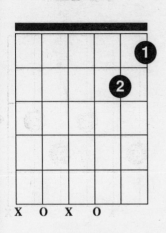

La 7+

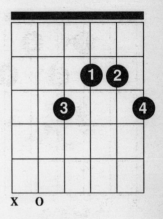

La 7+

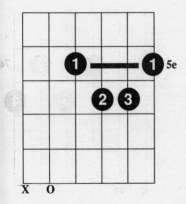

La 7+

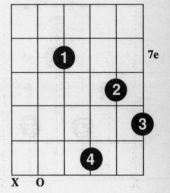

LA 6/9

La 6/9

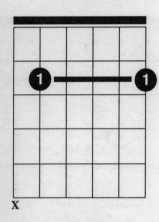

La 6/9

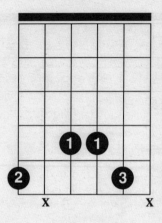

La 6/9

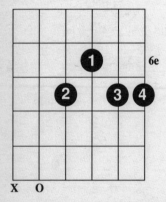

La 6/9

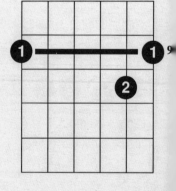

LA 7sus4 et LA 5⁺

La 7sus4

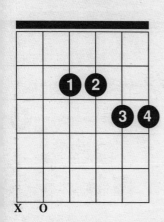

La 7sus4

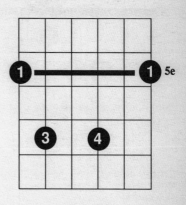

La 5⁺

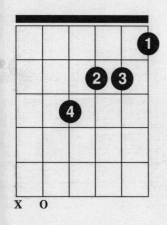

La 5⁺

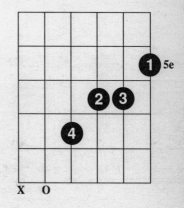

LA mineur

La m

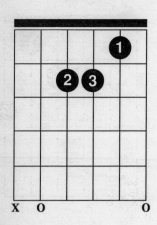

La m

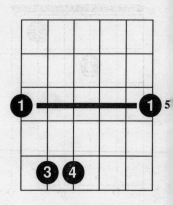

La m

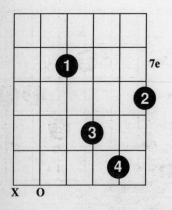

La m

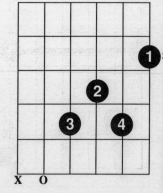

LA m7

La m7

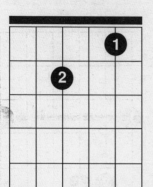

La m7

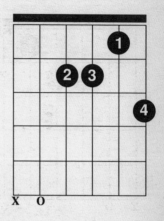

La m7

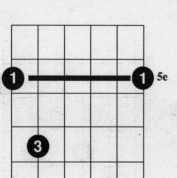

La m7

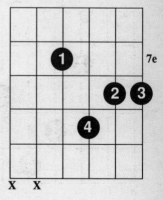

LA m7Maj.

La m7M

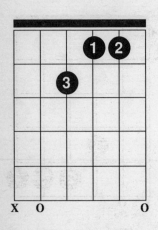

La m7M

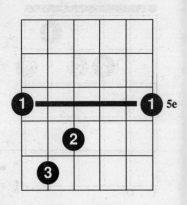

La m7M

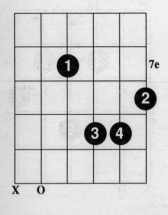

La m7M

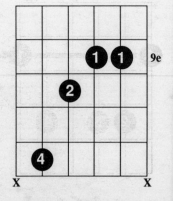

LA m6

La m6

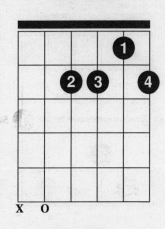

La m6

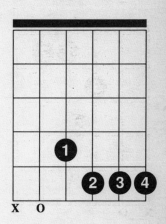

La m6

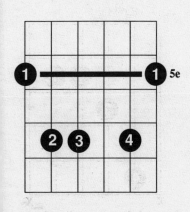

La m6

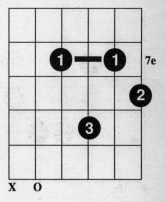

LA m9

La m9

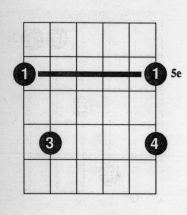

La m9

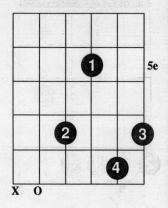

La m9

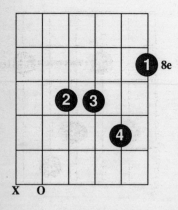

La m9

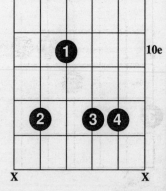

LA m7sus4

La m7sus4

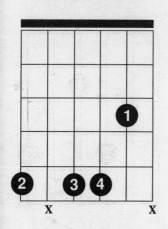

La m7sus4

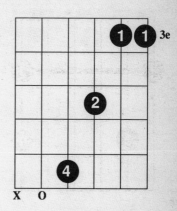

La m7sus4

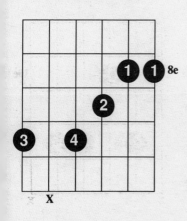

La m7sus4

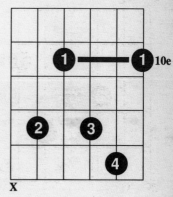

LA m7(5♭)

La m7(5♭)

La m7(5♭)

La m7(5♭)

La m7(5♭)

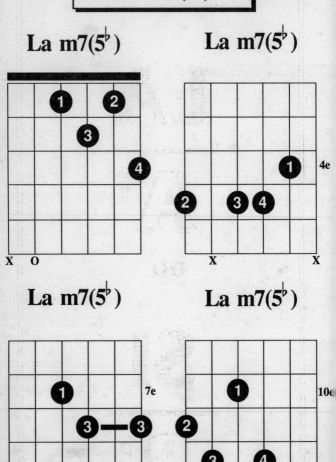

LA♯ Majeur

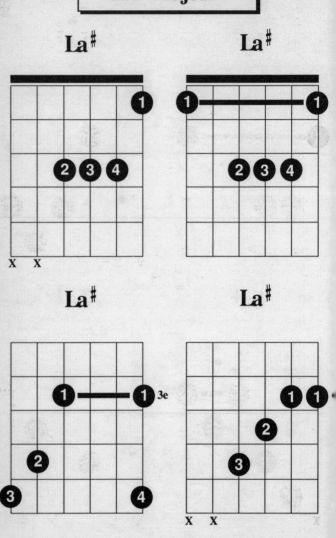

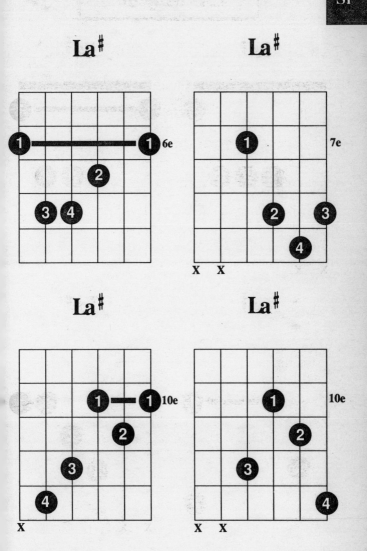

LA♯7

La♯7

La♯7

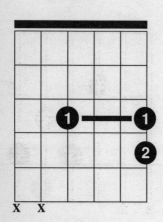

La♯7

La♯7

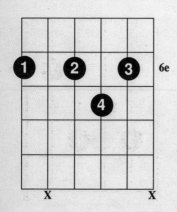

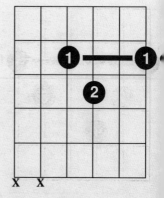

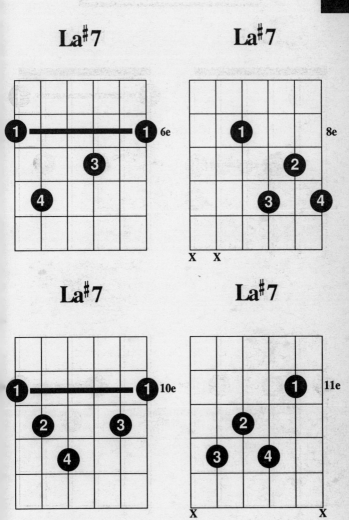

La#7

La#7

La#7

La#7

LA♯7 Maj.

La♯7M

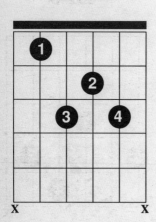

La♯7M

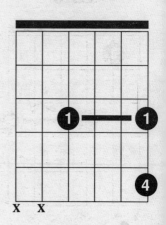

La♯7M

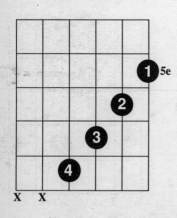

La♯7M

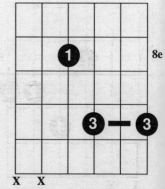

LA#6

La#6

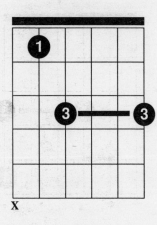

La#6

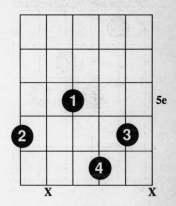

La#6

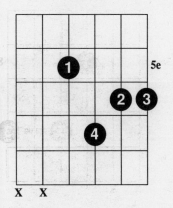

La#6

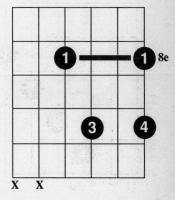

LA#9

La#9

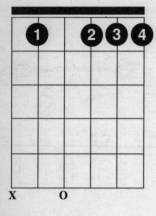

La#9

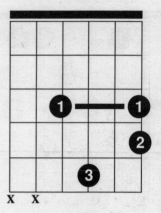

La#9

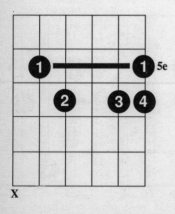

La#9

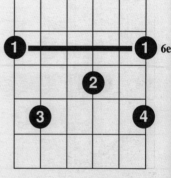

LA# Maj.9

La# M9

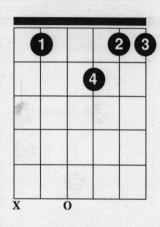

X   O

La# M9

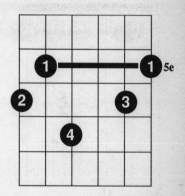

5e

La# M9

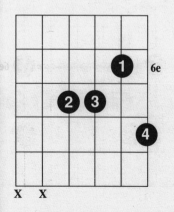

X   X

La# M9

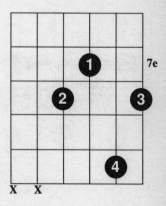

7e

X   X

LA#11

La#11

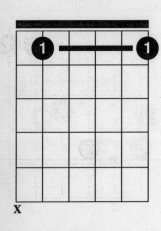

La#11

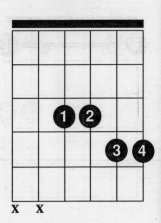

La#11

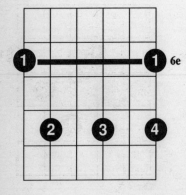

6e

La#11

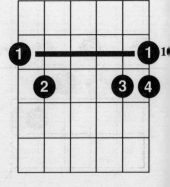

10

LA#13

La#13

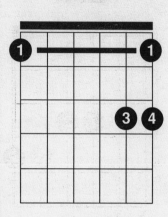

La#13

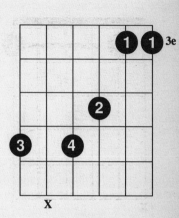

La#13

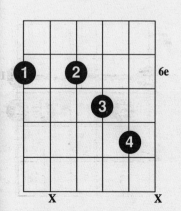

La#13

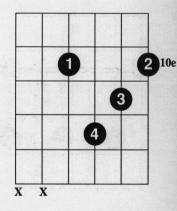

LA# 7dim

La# 7dim

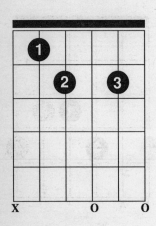

x   o   o

La# 7dim

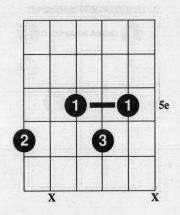

5e

x   x

La# 7dim

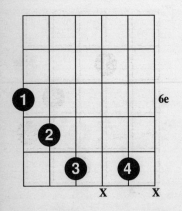

6e

x   x

La# 7dim

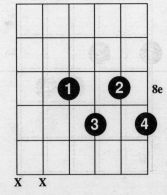

8e

x   x

LA#7+

La#7+

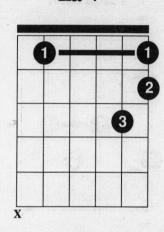

La#7+

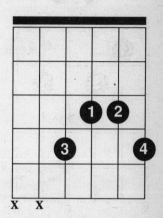

La#7+

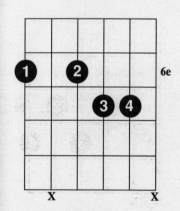

La#7+

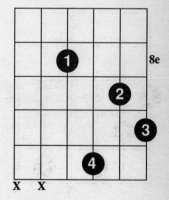

LA# 6/9

La# 6/9

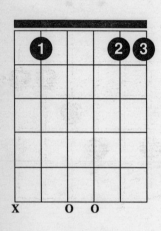

La# 6/9

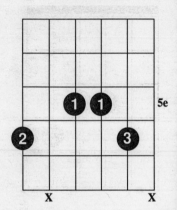

La# 6/9

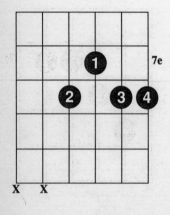

La# 6/9

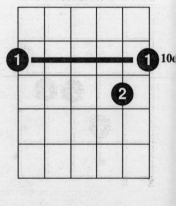

LA#7sus4 et LA#5+

La# 7sus4

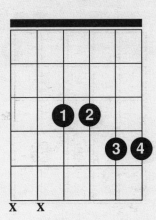

La# 7sus4

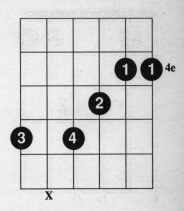

4e

La# 5+

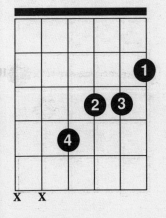

La# 5+

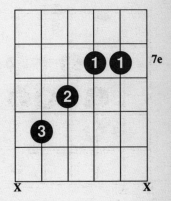

7e

LA#m

La#m

La#m

La#m

La#m

LA#m7

La#m7

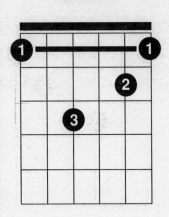

La#m7

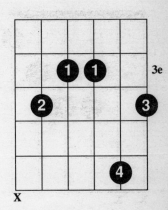

3e

X

La#m7

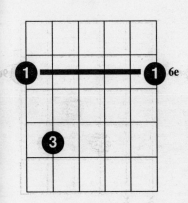

6e

La#m7

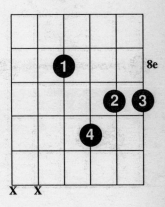

8e

X   X

LA♯ m7M

La♯ m7M

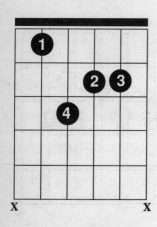

La♯ m7M

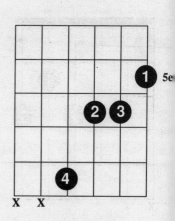

5e

La♯ m7M

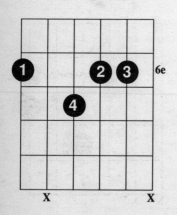

6e

La♯ m7M

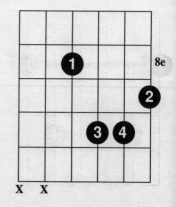

8e

LA#m6

La#m6

La#m6

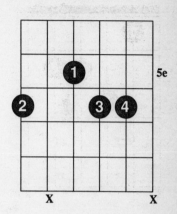

La#m6

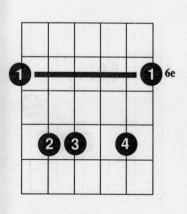

La#m6

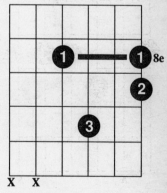

LA#m9

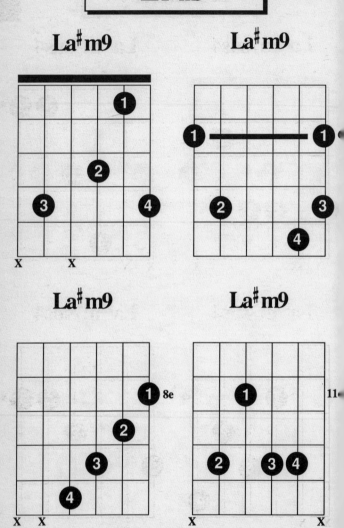

La#m9

La#m9

La#m9

8e

La#m9

11

LA# m7sus4

La# m7sus4

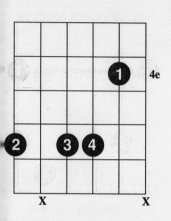

4e

La# m7sus4

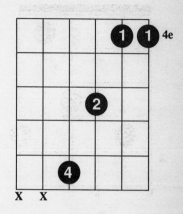

4e

La# m7sus4

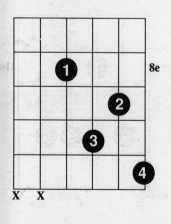

8e

La# m7sus4

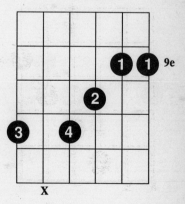

9e

LA$^\sharp$ m7(5$^\flat$)

La$^\sharp$ m7(5$^\flat$)

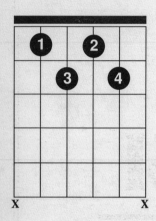

La$^\sharp$ m7(5$^\flat$)

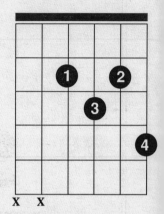

La$^\sharp$ m7(5$^\flat$)

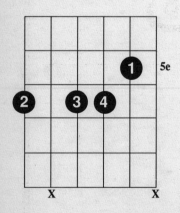

La$^\sharp$ m7(5$^\flat$)

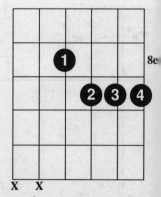

SI

B

SI Majeur

Si

Si

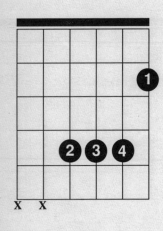

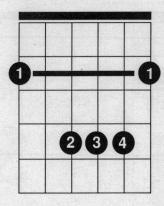

Si

Si

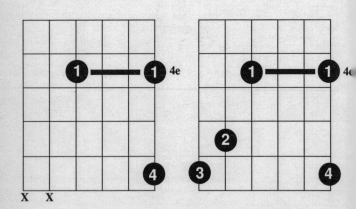

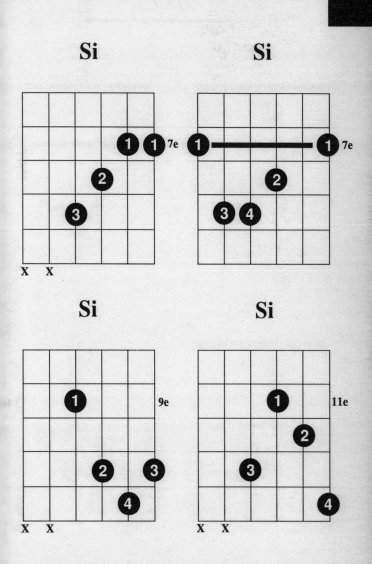

Si

Si

Si

Si

Si 7

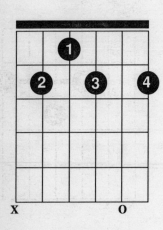

Si 7

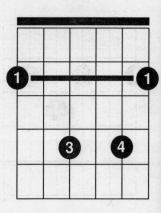

Si 7

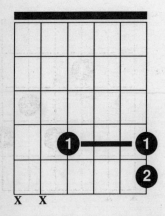

Si 7

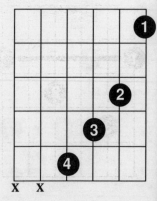

Si 7

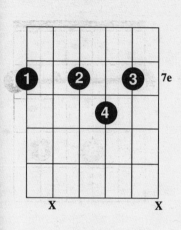

Si 7

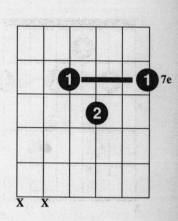

Si 7

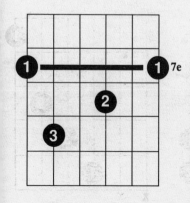

Si 7

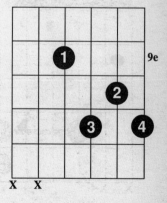

SI 7Maj.

Si 7M

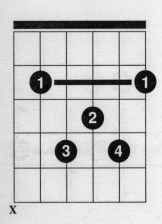

Si 7M

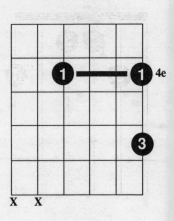

Si 7M

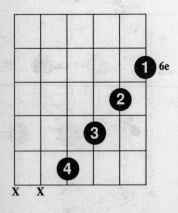

Si 7M

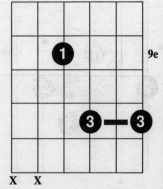

SI 6

Si 6

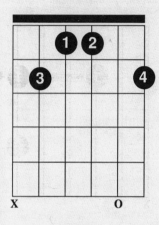

Si 6

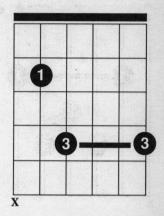

Si 6

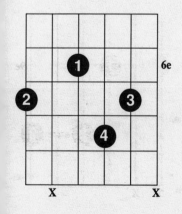

Si 6

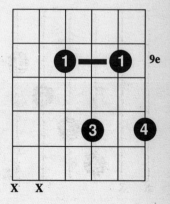

Si 9

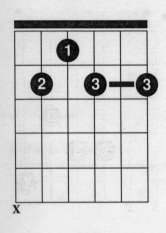

Si 9

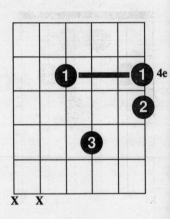

4e

Si 9

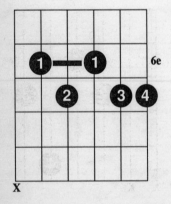

6e

Si 9

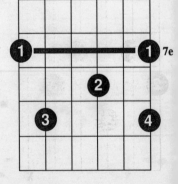

7e

SI Maj.9

Si M9

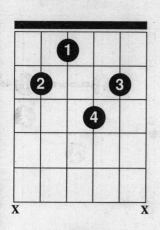

Si M9

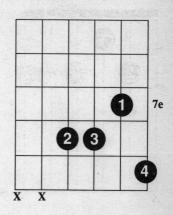

7e

Si M9

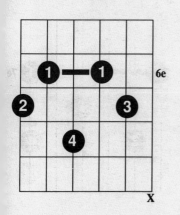

6e

Si M9

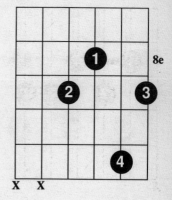

8e

SI 11

Si 11

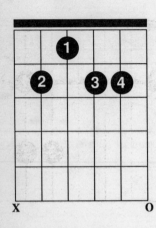

Si 11

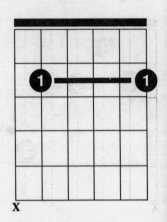

Si 11

Si 11

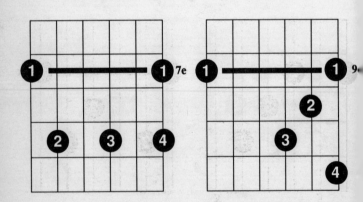

SI 13

Si 13

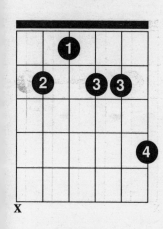

Si 13

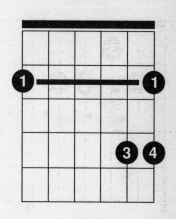

Si 13

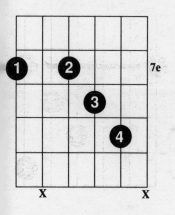

Si 13

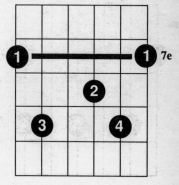

Si 7dim

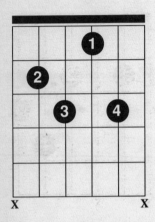

Si 7dim

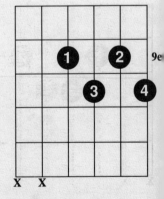

Si 7dim

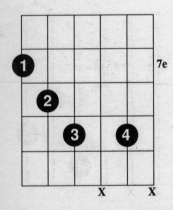

Si 7dim

SI 7+

Si 7+

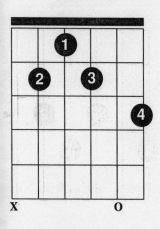

Si 7+

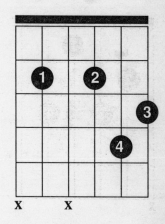

Si 7+

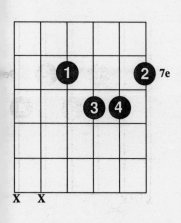

Si 7+

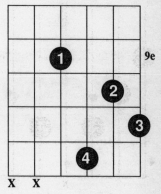

SI 6/9

Si 6/9

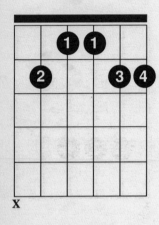

Si 6/9

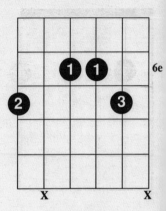

6e

Si 6/9

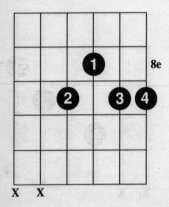

8e

Si 6/9

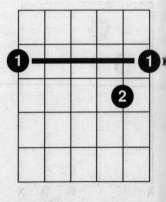

SI 7sus4 et SI 5⁺

Si 7sus4

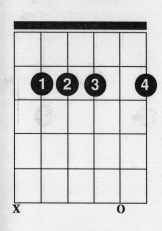

Si 7sus4

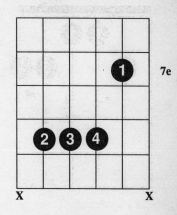

7e

Si 5⁺

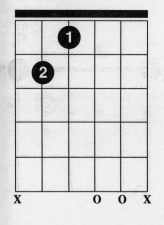

Si 5⁺

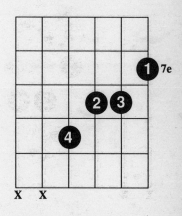

7e

Si m

Si m

Si m

Si m

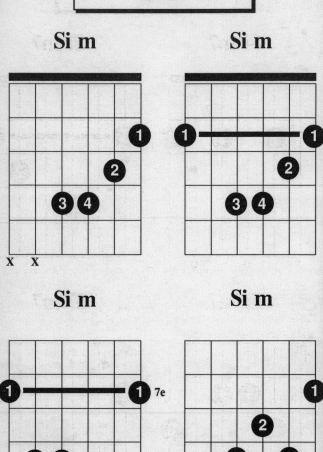

7e

SI m7

Si m7

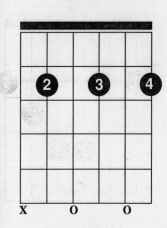

x   o   o

Si m7

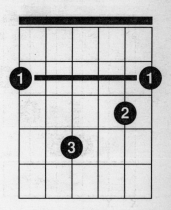

Si m7

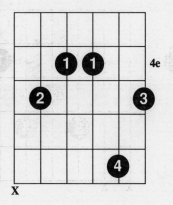

x   4e

Si m7

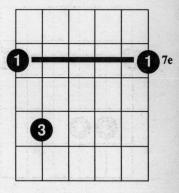

7e

SI m7M

Si m7M

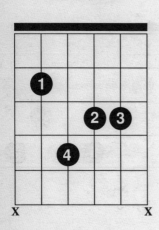

Si m7M

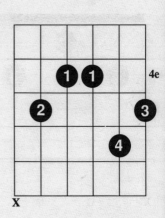

4e

Si m7M

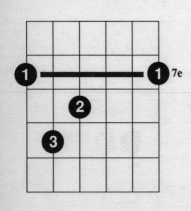

7e

Si m7M

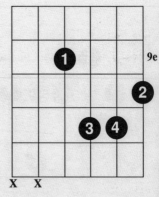

9e

SI m6

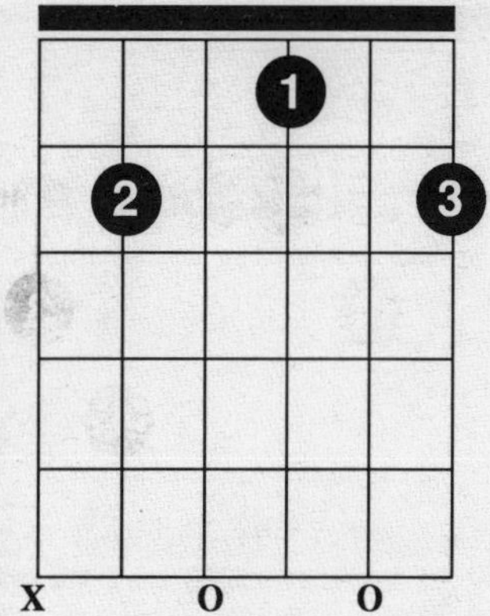

Si m6

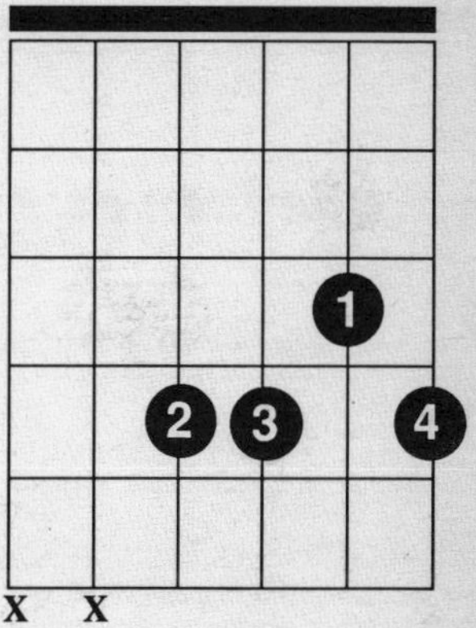

Si m6

Si m6

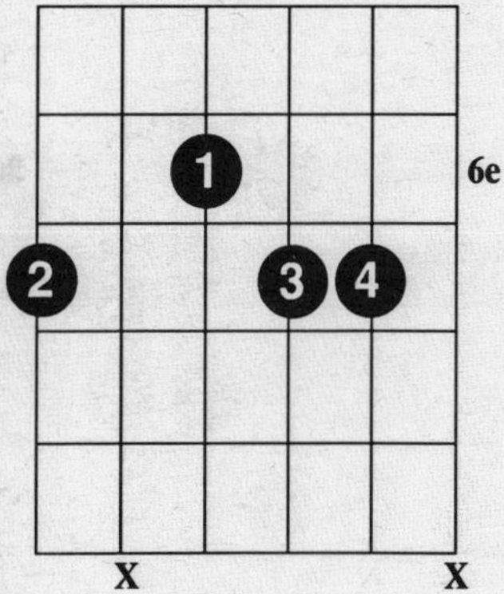

6e

Si m6

7e

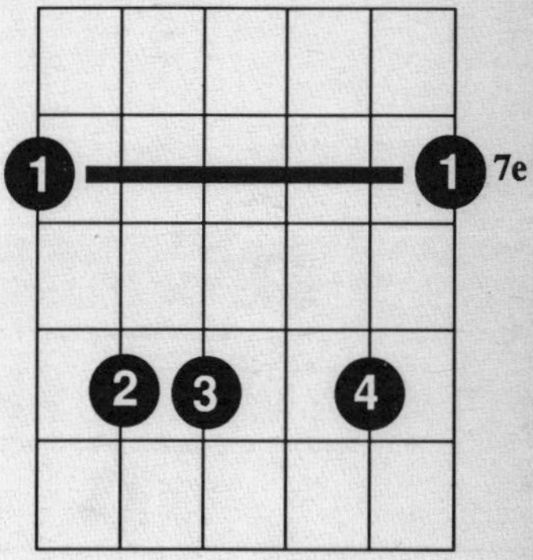

SI m9

Si m9

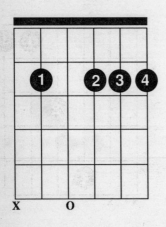

Si m9

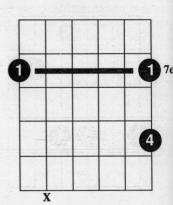

Si m9

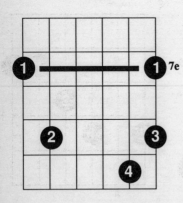

Si m9

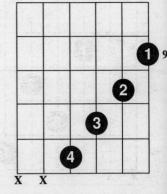

SI m7sus4

Si m7sus4

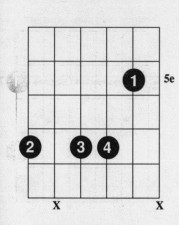

5e

Si m7sus4

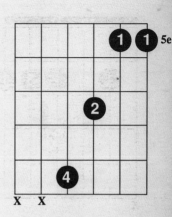

5e

Si m7sus4

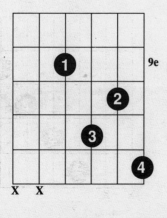

9e

Si m7sus4

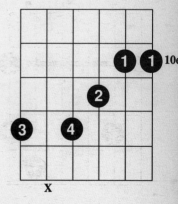

10e

Si m7(5♭)

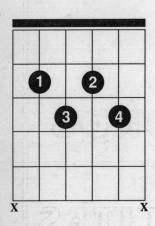

Si m7(5♭)

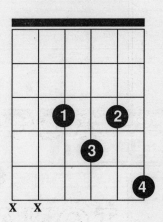

Si m7(5♭)

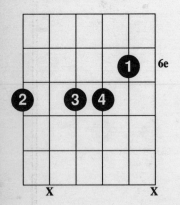

6e

Si m7(5♭)

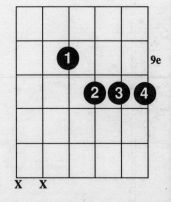

9e

ACCORDS
et
TONALITES

Afin que vous puissiez déjà mettre en pratique les quelques accords que vous venez d'apprendre, voici dans chaque tonalité les accords basiques les plus souvent utilisés pour s'accompagner et composer.

Et en les jouant, vous vous rendrez vite compte qu'un grand nombre de chansons que vous fredonnez depuis longtemps sont construites autour de ces accords.

TONALITE
de
$$\frac{DO}{C}$$

Majeur

Do

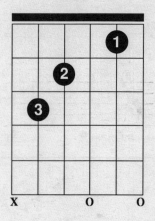

Fa

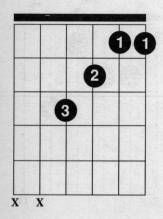

Sol 7

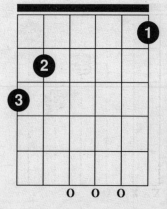

Relatif mineur

La m

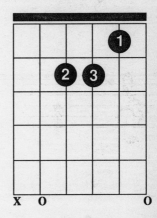

Ré m

Mi 7

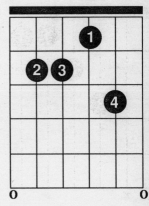

TONALITE

de

SOL
G

Sol

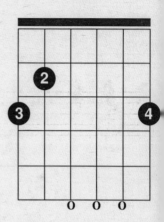

Do

Ré 7

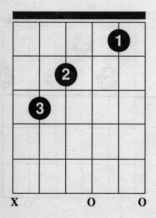

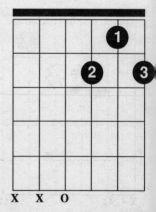

Relatif mineur

Mi m

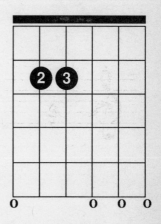

La m

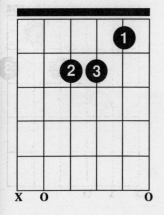

Si 7

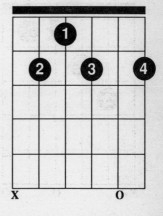

TONALITE

de

$$\frac{RE}{D}$$

Majeur

Ré

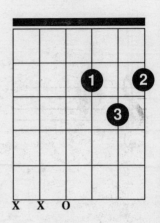

Sol

La 7

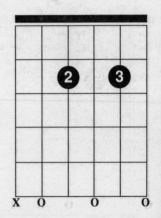

Relatif mineur

Si m

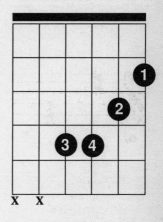

Mi m

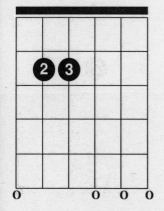

Fa# 7

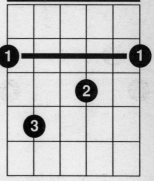

TONALITE
de
$\dfrac{\text{L A}}{\text{A}}$

Majeur

La

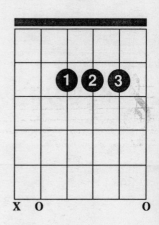

Ré

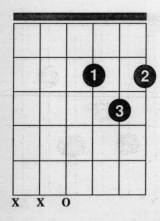

Mi 7

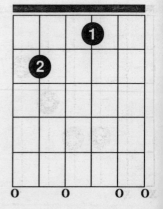

Relatif mineur

Fa# m

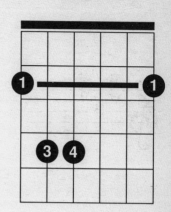

Si m

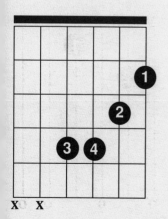

Do# 7

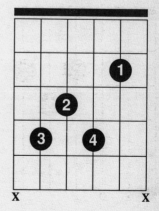

X X

X X

TONALITE

de

$\frac{\text{M I}}{\text{E}}$

Majeur

Mi

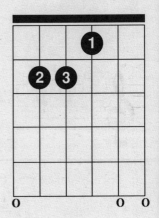

La

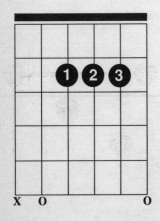

Si 7

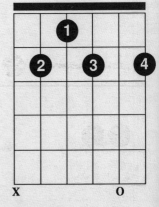

Relatif mineur

Do# m

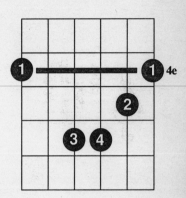

Fa# m

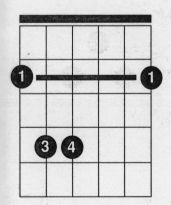

Sol# 7

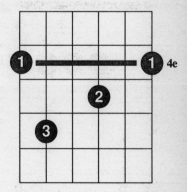

TONALITE

de

$$\frac{\text{S I}}{\text{B}}$$

Majeur

Si

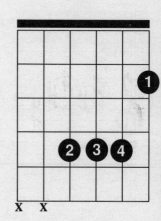

Mi

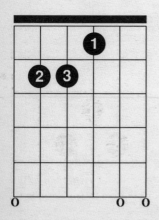

Fa♯ 7

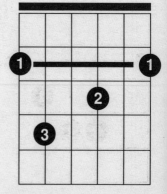

Relatif mineur

Sol# m

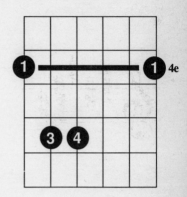

Do# m

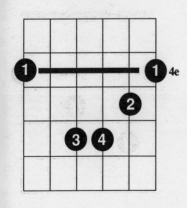

Ré# 7

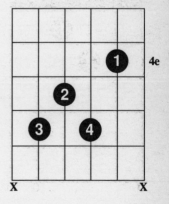

TONALITE
de
$$\frac{\text{F A}^\sharp}{\text{F}^\sharp}$$

Majeur

Fa#

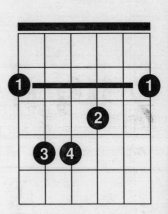

Si

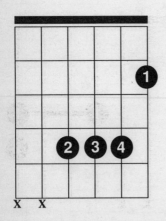

Do# 7

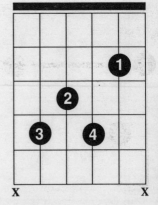

Relatif mineur

Ré♯ m

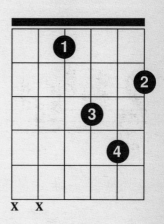

Sol♯ m

La♯ 7

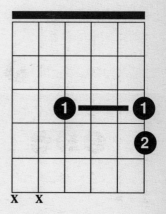

TONALITE

de

$$\frac{FA}{F}$$

Majeur

Fa

Si♭

Do 7

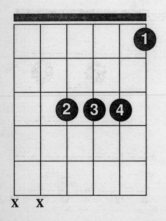

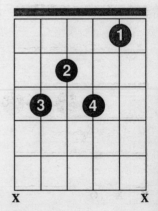

Relatif mineur

Ré m

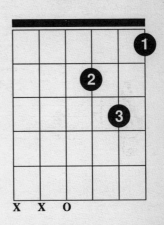

Sol m

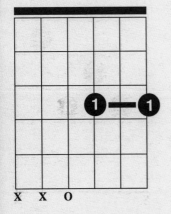

La 7

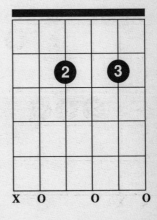

TONALITE
de
$\dfrac{\text{SI}^\flat}{\text{B}^\flat}$

Majeur

Si♭

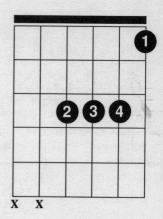

Mi♭

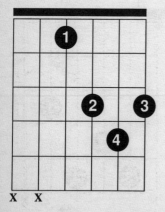

Fa 7

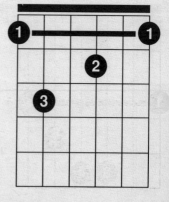

Relatif mineur

Sol m

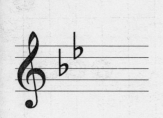

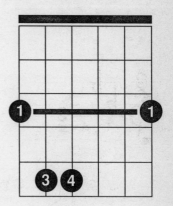

Do m

Ré 7

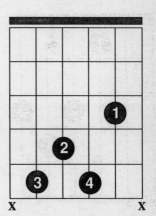

TONALITE
de
MI♭

E♭

Majeur

Mi^b

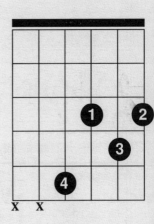

La^b

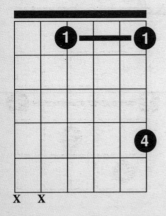

Si^b 7

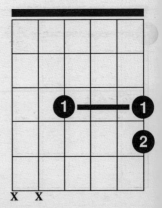

Relatif mineur

Do m

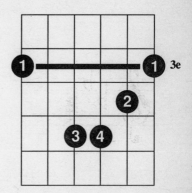

Fa m

Sol 7

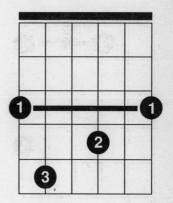

TONALITE

de

$$\frac{\text{LA}^\flat}{\text{A}^\flat}$$

Majeur

La♭

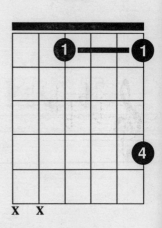

Ré♭

Mi♭ 7

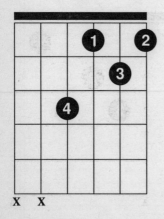

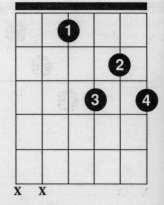

Relatif mineur

Fa m

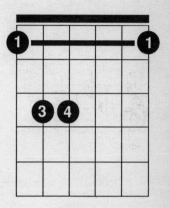

Si♭ m

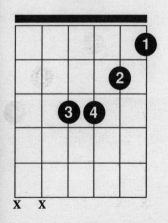

Do 7

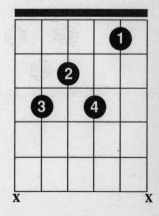

TONALITE
de
$$\frac{\text{RE}^\flat}{\text{D}^\flat}$$

Majeur

Ré♭

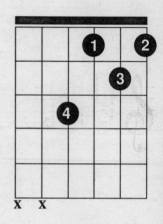

Sol♭

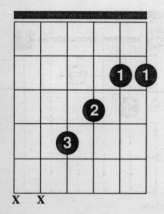

La♭ 7

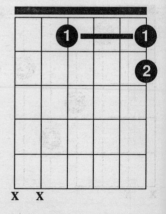

Relatif mineur

Si♭ m

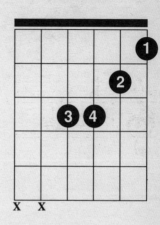

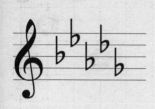

Mi♭ m

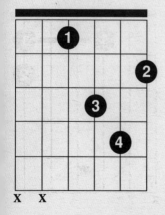

Fa 7

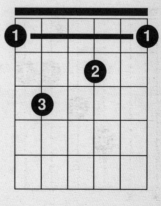

Bloc
Notes

100

ENCHAÎNEMENTS D'ACCORDS TYPES

Toutes les grilles sont écrites en 4/4 (sauf les valses qu'il faut jouer en 3/4) mais elles sont adaptables à loisir en fonction de votre humeur.

Les accords suivants peuvent aussi se noter comme suit :

5♭	= 5⁻	9♯	= 9⁺
5♯	= 5⁺	9♭	= 9⁻
sus (4)	= 4	m75♭	= m7/5⁻
7sus	= 7sus4	7♯5	= 7/5⁺
M7	= 7M	7♭5	= 7/5⁻
°7	= 7dim	mM7	= m7M

Un accord noté C/A indique que l'accord doit être joué sur une basse de La.

1 Blues

B♭7	E♭7	B♭7	✕
E♭7	✕	B♭7	✕
F7	E♭7	B♭7	✕
B♭7	✕	✕	✕

2 Blues

C7	F7	C7	✕
F7	✕	C7	✕
G7	F7	C7	G7

3 Blues

Am	Dm	Am	✕
Dm	✕	Am	✕
Em	Dm	Am	Em

4 Blues/Rock

A	✕	✕	✕
D	✕	A	✕
E	D	A	✕

5 Blues/Shuffle

C	F	C	✕
F	✕	C	✕
G	F	C	✕

6 Soft Blues

C7	F7	C7	✕
F7	✕	C7	✕
G7	F7	C7	G7

7 Ballade pop

FM7	Gm7	C7	F
B♭m6	F6	Gm7 / C7	FM7
FM7	C7	✕	F
B♭m6	F6	Gm7 / C7	FM7

8 Ballade pop

G	Em7	Am7	D7 / E♭7
Em7 / B7	C / Am	G / C	G :
G			

9 Blues even

B♭7	✕	F	✕
C7	B♭7	F7	✕ :
F7			

10 African style

Am7	✕	✕	✕
Am7	✕	✕	✕
F9	✕	✕	✕
Am7	✕	✕	✕

11 Bluegrass

C	⁒	C / F	Dm7 / G7
C	⁒	G7 / C	G7 / C
C	⁒	⁒	⁒

12 Irish style

C	G7	C	G7 / C
C	G7	F / C/E / Dm	G7 / C
C	G7	C	G7 / C

13 Irish style

C / F	C	G7	C / F	G7 / C
C / F	C	G7	C / F	G7 / C

14 Mambo style

F	G	FM7	G7 / C / G6
F	G	FM7	G7 / C / G6
C	⁒	⁒	⁒
F	⁒	⁒	⁒

15 Merengue

G	F	G	F :‖
G	F	G	F
B♭	D	E♭	E♭ / F
G			

16 Mexican style

C / F	C / G	C / F	C / G :‖
C / F	C/E / G/D	C / F	C/E / G/D :‖
C			

17 Old time

A	⁒	D	A
E	A	D	A
E	A	⁒	⁒

18 Cha cha

Gm7 / C9	Gm7 / C9	FM7	⁒ :‖
‖: FM7	⁒	C9	⁒
B♭6	B♭6 / C7	F6	⁒ :‖

19 Ethnic style

A7	⁒	Dm	A7 :‖
A7	Gm	⁒	A7
Dm	⁒	⁒	⁒
A7	⁒	⁒	A7 / Dm

20 Jaco style

Am7	FM9	G13	EM7
Bm7♭5	A♭6 / Dm9	Cm9 / E7♯5	AM7
Am7	⁒	G7	⁒
FM7	⁒	B♭7	⁒

21 Country

G	G7/C	D7	D7/G
G	G7/C	D7	D7/G

22 Funk

Am7	∕.	D9	∕.
:Cm7	∕.	F9	∕.:
Am7			

23 Fats Domino style

F	∕.	C	∕.
G7	∕.	C7	∕.:
C			

24 Ethnic style

F	F/C7	C7	C7/F:
Bb	Bb/F7	F7	F7/Bb
F			

25 Jazz

B6/D7	G6/Bb7	Eb6	Am9/D7
G6/Bb7	Eb/F#7	B6	Fm9/Bb7
Eb6	Am9/D7	G6	C#m9/F#7
B6	Fm7/Bb7	Eb6	C#m9/F#7
B6			

26 Ballade

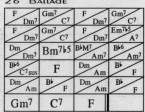

F/Dm7	Gm7/C7	F/Dm7	Gm7/C7
F/Dm7	Gm7/C7	F/Dm7	Em7b5/A7
Dm/Dm7	Bm7b5	BbM7/Am7	Bb6/Am7
Bb6/C7sus	F	Dm/Am	Bb/F
Dm/Am	Bb/F	Dm/Am	Bb/F
Gm7	C7	F	

27 Rock

F/Bb	C7	F/Bb	C7
F/Bb	C7	F/Bb	C7:
F			

28 Twist

E	∕.	C#m	∕.
A	∕.	B7	∕.:
E			

29 Ska

Em	A	G	Em/D
Em	A	G	Em/D
G	∕.	D7	∕.
Em	∕.	A	B7
:Em	A	G	Em/D:
Em			

30 Soul

Dm7	∕.	Em7/D	∕.
CM7	∕.	Am7	∕.:
FM7	∕.	CM7	∕.
FM7	∕.	G7sus	∕.
Dm7	∕.	Em7/D	∕.
CM7	∕.	Am7	∕.
CM7			

31 Swing

Dm⁷ G⁹	Dm⁷ G⁹	Em⁷ A⁹	Em⁷ A⁹
Am⁷ D⁹	A♭m⁷ D♭⁹	CM⁷ F⁹	Em⁷ A⁷
Dm⁷ G⁹	Dm⁷ G⁹	Em⁷ A⁹	Em⁷ A⁹
Am⁷ D⁹	A♭m⁷ D♭⁹	CM⁷	

32 Bossa nova

D^7/A	✕	$A♭^{°7}$	✕
Gm^7	C^7sus	$F^{°7}/FM^7$	FM^7
Fm^7	$B♭^7$	Em^7	Am^7
Dm^7	G^9	Em^7	A^9
Dm^7	G^9	C^6	

33 Reaggae

C / Dm	G⁷ / C	C / Dm	G⁷ / C
C / F	G⁷ / C	C / F	G⁷ / C

34 Blues

$B♭^7$	✕	F	✕
C^7	$B♭^7$	F^7	✕

35 Soul

C	Dm	F	G^7sus/G
F	G	C	Dm
F	G	C	Dm
C			

36 Salsa

C^6	✕	Am^7	✕
Dm^7	✕	G^7sus	G^7
Am^7	Dm^9	Am^7	D^9
C^6	✕	Am^7	✕
Dm^7	✕	G^7sus	G^7
CM^7			

37 Country

G / G⁷	C	G / E⁷	A⁷ / D⁷
G / G⁷	C / C♯°⁷	G/D	G

38 Ethnic

G	C	D^7	G
G / G^7	C	D^7	G

39 Folk

C	G/B	Am^7	✕
F	✕	G^7	✕

40 Jazz

C / F/A / F	G	C / G⁷ / F	C/G / Am
F / G	C / Gsus	C	✕
Dm	G⁷	C / Dm / G	C / Dm / C/E
F / G⁷	C	✕	

41 Pop

C/G	Am	F/C	G
F/G	Am/F	C/G	C/G7 :
Em/B7	Em/B7	Em/B7	Em/A7
Dm	G/G7	C/G	Am
F/C	G	F/G	Am/F
C/G	G		

42 Latin rock

Dm	%	%	%
Dm	%	%	%
F/A	C/A	F/A	C/A — C/A / G/A
F/A	C/A	F/A	C/A
Dm			

43 Ballade

C/Am	Dm/G7	C/Am	Dm/G7
C/C7	F/F°7	C/G7	C

44 Jazz bossa

GM7	%	E9	%
Am7	D7	GM7	% :

45 Swing

Bb9	Eb7	Bb9	%
Eb7	%	Bb9	Dm7/G7
Cm7	F7	Bb9/G7	Cm7/F7
Bb7			

46 Disco

F	%	Dm	%
Bb	%	C7	% :
F	%	Dm	%
Gm/GmM7	Gm7	C7sus	C7
F	%	Dm	%
Bb	%	C7	%
F			

47 Chicago blues

E	%	A	%
E	%	B7	A
E	E/B7 :	E7	%

48 Blues

A7	Ab7/G7	A7	E7
D9	A7	E7	A7 :

49 Cool Jazz

A7	D7	A7	%
D7	%	A/Bm7	C#m7/Cm7
E9	F9	A7/D9	A7/E9

50 Ballade Jazz

Am/Bm	F/E7	Am/Bm	Am/Bm
Dm	F/E7	Am/Bm	Am/Bm
E7	F/E7	Am/Bm	E9

51 Funk

FM7	C7sus	FM7	C7sus
FM7	C7sus	FM7	C7sus :‖

52 Dance

Fm7	B♭m7	G7	C7#5
‖: Fm7 A♭/B♭	Fm7	∕.	∕.
Dm7	Gm7	E7	A7#5 :‖
Fm7 A♭/B♭	Fm7	∕.	∕.

53 Miami style

Dm	∕.	∕.	∕.
Dm C/B♭ Am Gm F/Em7♭5 B♭	A7	Dm :‖	

54 Irish style

C	∕.	F/C	D7/G7
C	G7	∕.	C
C	F	G7	C

55 Rock & roll

C	∕.	C7	∕.
C	Dm7	C7	Gm7/C7
F	∕.	Fm7	B♭7
C	∕.	C7	∕.
G	∕.	G7	∕.
C	∕.	G	∕.
C			

56 Swing

E9	D9	A7	E9
A	D	A	A7 :‖
D9	∕.	A7	∕.
E9	D9	A7	E9

57 Rock blues

B♭/F	F/D♭	D♭/E♭	E♭
B♭/D♭	D♭/A♭	A♭/B♭	B♭
Gm	F	Gm	F
E♭/F7			

58 Blues Jazz

B♭M7	E♭9	B♭M7	B♭7
E♭9	∕.	B♭M7/Cm7	Dm7/D♭m7
Cm7	F9	B♭M7/B♭6	Cm7/F9 Cm6
B♭M7			

59 Country pop

C7	∕.	∕.	∕.
F7	∕.	∕.	C7
G7	∕.	C7	∕.

60 Texas swing

C/F	C/C7	F/F7	C/C7
F/F#°7	C/A7	D7/G7	C/G7

61 Ballade Jazz

A / F#m	D / E	A / D	A / E7
A / F#m	D / E	A / D	A :‖

62 Bossa

Gm7 / C7	F#7 / F7	CM7	Gm7 / Gb7
F7	F#°7	CM7	A7 / A#7
D7	G7	CM7	✕

63 Be bop

CM7	F7	CM7	C7
FM7	F#°7	CM7	A7
D7	G7	CM7	✕

64 Gospel

C	✕	✕	✕
C	✕	G7	✕
C7	F	✕	C
G7	C	✕	✕

65 Classical british style

Dm	✕	C	✕
Dm	✕	A	✕
Dm	✕	C	✕
Dm	A7	Dm	✕

66 Mississipi blues

E	B7	E	B7
E	A	E	B7
E	B7	E	B7
E	A	E / B7	E

67 Jazz swing

Dm7	G7 / Bb7	Am7	Dm7
Bm7	CM7	Fm7 / BbM7	A7
DM7 / GM7	C#m7 / F#7	Bm7 / E7	Am7 / D7
GM7	Gm7	BbM7 / EbM7	Em7 / A7

68 Ballade pop

Am7	C7	Bb7	Am7
FM7	G7	Am7	E7
Am7	G7	F7	Am7
Bm7b5	E7	Am7	✕

69 Folk

C	Em	Am	C
F	Bb	C	G7
Dm	A	Dm	✕
C	G7	C	G7

70 Dance

Fm	Fm / Ab	Bb	✕ :‖
Db	✕	Bb7	✕
Db	Db / Cm7	Bb7	Bb7 / Cm
Db	Db / Cm7	Bb7	✕
Fm			

71 Valse latine

Em	B7	C	G
G	D	C	B7
Em	D	C	％
Em	D	C	％

72 Country blues

D	％	％	D7
G7	％	D	％
A7	％	D	％

73 Rock

E7	％	％	％
A7	％	E7	％
B7	A7	E7	B7

74 Samba

FM7	％	FM7 / D7	Gm7 / C7
Gm7	C7	Gm7 / C7	FM7
Cm7 / F9	Bb6	Bbm7 / Eb7	Gm7 / C7
FM7	％	FM7 / D7	Gm7 / C7
Gm7	C7	Gm7 / C7	FM7
F6			

75 Bluehill

F	％	C	％
G7	％	C	％
D7	％	G7sus	％ :
C			

76 Old pop

G	G7	C	G
G	％	D7	％
G	G7	C	Am
G	D7	G / C	G :

77 House

Abm	％	Ebm7	％
Abm	％	Ebm7	％
Ebm9	％	％	％ :

78 Reggae

G	％	D7	％
C	G	D7	G :
D7	G	D7	G
D7	％	G	G / D7
G			

79 Rap

AM7	％	E7sus	％
AM7	％	E7sus	％ :
Ebm7	％		

80 Rumba

F6	Dm7	Gm7	C9
F	F6	FM7	F6 :
G7	％	C7sus	％
F6	％	％	％
F6	Dm7	Gm7	C9
F6	％	％	％

81 New age

Dm7	✗	✗	✗
Dm7/Bb	✗	✗	✗
Dm7	✗	✗	✗
Bb	Am7	Dm7	✗
Bb	Am7	Dm7	✗ :

82 Gospel

Bb	Bb13	Eb9	✗
Bb9	Gm7	C9	F13
Bb9	✗	Eb9	E°7
Bb6/F	Gm7	Cm7 / F7sus	Bb6 :

83 Swing

G6	✗	✗	✗
G6	G6 / Ab°7	Am7	D7
D9	✗	✗	✗
D7	✗	G6	✗

84 Light rock

C	✗	C7	✗
F7	✗	C7	✗
G7	✗	C7	✗
C7 :			

85 Country

C	G7	✗	C
E	F	C / G7	C :

86 Slow

Dm / F	G / Bb	Dm / F	A7
Dm / F	G / Bb	Dm / A7	Dm / A7 :

87 Latin

Dm	✗	✗	✗
Dm / C / Bb — Am — Gm / F / Bb — Em7b5		A7	Dm :
D7	✗	Gm	✗
C7	✗	F	A7
Dm	✗	✗	✗
Dm / C / Bb — Am — Gm / F / Bb — Em7b5		A7	Dm

88 Reggae

E / A	E / A	E / A	E / A
E / A	E / A	E / A	E / A :
B / C# / A	B / C# / A	B / C# / A	B / C# / A
E / A	E / A	B / A	E / A
E / A	E / A	B / A	E

89 Rap

Am7	✗	✗	✗ :
F9	✗	✗	✗
Am7			

90 Fusion

C6	✗	✗	✗
Bb6	✗	C6	✗
G9	F9	C6	✗ :

91 Country

F	%	%	%
C7	%	F	% :|
Bb	%	%	%
F	%	G7	C
F	%	%	%
C7	%	F	%

92 Ballade rock

Bb/Ab \ Ab	Bb \ Ab/Bb	Bb/Ab \ Ab	Bb \ Ab/Bb
Bb/C \ Cm	Gm7 \ Ab	A°7 \ B°7	Bb/C \ Cm
:Eb/G \ Ab	Ab \ Bb \ Cm	Eb/G \ Ab	Ab \ Bb \ Cm
Fm9 \ Dm7b5	Gm7 \ Cm7/Ab	Fm9 \ Dm7b5	Gm7 \ Cm7/Ab
Am7b5 \ B°7	Cm \ Fm9	Dm7b5 \ G7	Cm

93 Rhythm & blues

C	%	%	%
C	%	%	G
:C \ F	C \ F	C \ F	C \ F
C \ F	C \ F	C	%

94 Jazz swing

Dm7 \ G9	Dm7 \ G9	Em7 \ A9	Em7 \ A9
Am7 \ D9	Abm7 \ Db9	CM7 \ F9	Em7 \ A7
Dm7 \ G9	Dm7 \ G9	Em7 \ A9	Em7 \ A9
Am7 \ D9	Abm7 \ Db9	CM7	%

95 Pop

G	%	Em	%
C	D7	G	% :|
C	%	G	%
A7	%	D7	%
G	%	Em	%
C	D7	G	

96 New age

Dm \ C	Dm \ Am	Dm	Bb \ C :|
F \ C	Dm \ Am	Dm	Bb \ C
F \ C	Dm \ Am	Dm \ C	Bb \ Dm
F	%	C7	%
Dm	%	Bb	%
Dm7	G7		C7
FM7	%	%	%

97 Ethnic

Dm	Gm \ Dm	Gm \ Dm	E7 \ A7 \ Dm
Bb \ F# \ F	Gm \ Dm	Gm \ Dm	E7 \ A7 \ Dm
Bb \ Gm	C \ F	Bb \ Gm	C \ F
:A7 \ Dm	C \ F	Gm \ Dm	E7 \ A7 \ Dm

98 Funk

Am7	Am7/C	Am7/E	Am7/G \ Am7/G# :|
Am7	Am7/C	Am7/E	G \ Am
Am7			

99 Ballade pop

Eb	Ab	Eb/G \ Cm	F7 \ Bb7
Eb \ Eb7	Ab \ Abm6	Eb \ Bb7	Eb \ Bb7
Eb \ Ab	Eb \ Bb7	Cm \ Ab	Abm6 \ Bb7
Eb7 \ Ab	Cm \ Eb \ F7 \ Abm	Eb \ Bb7 \ Ab	Eb

100 Bossa

D6 \ Dm6	A7	D6 \ Dm6	A7
D6 \ Dm6	A7	BbM7	% :|

Bonnes idées

Collection Musique
MARABOUT

LE LIVRE D'OR DE LA CHANSON
TRADITIONNELLE FRANÇAISE

Une anthologie des plus belles chansons françaises qui ont bercé notre enfance et notre adolescence et qui font partie de notre patrimoine culturel.

100 comptines, rondes, canons, chansons enfantines, chansons du folklore, de marche, de marins ou révolutionnaires, réunies pour votre plus grand plaisir avec paroles originales, ligne mélodique notée en solfège et en tablatures et les accords d'accompagnement pour guitare et claviers.

Un excellent moyen pour se rafraîchir la mémoire, découvrir ou redécouvrir en famille ou entre amis les chansons que nous ont laissées nos parents et que chanteront encore, demain nos enfants. MARABOUT 6603.

LE LIVRE D'OR DE LA CHANSON
PAILLARDE ET À BOIRE

Pour la première fois en livre de poche, *un recueil des plus célèbres chansons* qui accompagnent traditionnellement *noces, banquets ou libations amicales*.

100 chansons coquines, malicieuses, outrancières, vives, gaillardes, mais toutes plus truculentes les unes que les autres, réunies pour votre plus grand plaisir avec paroles originales, ligne mélodique notée en solfège et en tablatures, et accords d'accompagnement pour guitare et claviers.

Un livre indispensable pour vous rafraîchir la mémoire ou pour découvrir ces chansons toujours drôles dont la verdeur est d'une vivacité tonifiante ! MARABOUT 6605.

15 MINUTES PAR JOUR POUR APPRENDRE LA GUITARE

Tout ce qu'il faut savoir pour bien débuter l'apprentissage de la guitare classique, folk, acoustique ou électroacoustique…

*Une méthode unique en son genre, en **trois volumes**, idéale pour apprendre seul !*

Très progressive, elle permet d'apprendre rapidement la théorie et la pratique musicale grâce à la tablature (lecture directe des notes à jouer sur le manche de la guitare).

***Au total sur les trois volumes, plus de 160 exercices et un répertoire de 40 morceaux faciles dans tous les styles musicaux les plus joués à la guitare**, dont certains sont enregistrés avec **des versions play-back stéréo** (orchestre sur le canal de gauche, guitare sur le canal de droite) pour apprendre à jouer « live » et en groupe.*

VOLUME 1 : **DÉBUTANTS** (disponible aussi avec CD)
          MARABOUT 6801 (K7).
          MARABOUT 6813 (CD).

VOLUME 2 : **MOYENS** (disponible aussi avec CD)
          MARABOUT 6802.

VOLUME 3 : **CONFIRMÉS**
          MARABOUT 6810.

15 MINUTES PAR JOUR POUR APPRENDRE LES CLAVIERS

Tout ce qu'il faut savoir pour bien débuter l'apprentissage des claviers ; piano, claviers portables, orgues, synthétiseurs…

Une méthode unique en son genre, en **trois volumes**, idéale pour apprendre seul !

Très progressive, elle permet d'apprendre rapidement la théorie et la pratique musicale (pour chaque nouvel élément de théorie musicale appris, un exemple sur le clavier).

Au total sur les trois volumes, plus de 220 exercices et un répertoire de 44 morceaux faciles dans tous les styles musicaux les plus joués aux claviers, dont certains sont enregistrés avec **des versions play-back stéréo** (orchestre sur le canal de gauche, clavier sur le canal de droite) pour apprendre à jouer « live » et en groupe.

VOLUME 1 : **DÉBUTANTS** (disponible aussi avec CD)
MARABOUT 6803 (K7).
MARABOUT 6816 (CD).

VOLUME 2 : **MOYENS** (disponible aussi avec CD)
MARABOUT 6804 (K7).

VOLUME 3 : **CONFIRMÉS**
MARABOUT 6811.

LIVRES + CASSETTES

Série : « Jouez le... »

Une nouvelle série idéale pour apprendre à jouer en rythme ou pour travailler son improvisation dans un style musical précis.

*Dans chaque volume : **15 morceaux connus et originaux faciles à mémoriser et à jouer**, et enregistrés en **deux versions stéréo** (orchestre à gauche, mélodie à droite) afin de pouvoir supprimer un canal pour travailler la mélodie seule puis la jouer sur la version play-back orchestre qui suit.*

*Chaque mélodie est jouable par tout instrument mélodique : **guitare, claviers, flûte, saxophone, harmonica**, etc. Les partitions de tous les morceaux sont transcrites en **solfège et en tablatures** pour la guitare afin d'en faciliter le déchiffrage.*

Jouez le Rock

Ce volume concacré au Rock regroupe en fait tous les rythmes assimilés à ce vocable : light rock, médium rock, country, bluegrass, shuffle rock, etc. *MARABOUT 6807.*

Jouez le Blues

Ce volume concacré au Blues regroupe en fait tous les rythmes assimilés à ce vocable : blues even, shuffle blues, slow blues, boogie, jazz blues, rhythm' and blues, etc. *MARABOUT 6808.*

Jouez le Jazz

Ce volume concacré au Jazz regroupe en fait tous les rythmes assimilés à ce vocable : jazz swing, jazz médium, jazz waltz, jazz four, jazz slow, etc. *MARABOUT 6809.*

DICTIONNAIRES

─── **1000 ACCORDS POUR GUITARE** ───
(+ 100 enchaînements d'accords types
dans tous les styles musicaux)

La bible de poche du guitariste acoustique et électrique, classique et moderne. Pour ne jamais « sécher » devant une partition de variétés, de jazz, de rock, de folk, de blues, de bossa-nova, etc., ce livre contient toutes les positions et les renversements d'accords les plus utilisés à la guitare.

De la tonalité majeure à mineure, en passant par les sixièmes, septièmes, neuvièmes, diminués, augmentés, etc., c'est *la plus grande encyclopédie d'accords pour guitare* jamais réalisée en format de poche.

Plus 100 enchaînements d'accords types dans tous les styles musicaux joués à la guitare. MARABOUT 6601.

─── **1000 ACCORDS POUR CLAVIERS** ───
(+ 100 enchaînements d'accords types
dans tous les styles musicaux)

La bible de poche du clavier acoustique et électrique, classique et moderne. Pour ne jamais « sécher » devant une partition de variétés, de jazz, de rock, de folk, de blues, de bossa-nova, etc., ce livre contient toutes les positions et les renversements d'accords les plus utilisés aux claviers.

De la tonalité majeure à mineure, en passant par les sixièmes, septièmes, neuvièmes, diminués, augmentés, etc., c'est *la plus grande encyclopédie d'accords pour claviers* jamais réalisée en format de poche.

Plus 100 enchaînements d'accords types dans tous les styles musicaux joués aux claviers. MARABOUT 6602.

À PARAÎTRE…

LE LIVRE D'OR DE LA CHANSON TRADITIONNELLE AMÉRICAINE

Une anthologie des plus belles chansons américaines qui ont bercé notre enfance et notre adolescence et qui font partie de notre mémoire.

100 chansons du folklore, de western, réunies pour votre plus grand plaisir avec paroles originales et traduction en français, ligne mélodique notée en solfège et en tablatures et les accords d'accompagnement pour guitare et claviers.

Un excellent moyen pour se rafraîchir la mémoire, découvrir ou redécouvrir en famille ou entre amis les chansons que nous connaissons tous et parfaire son anglais.

IMPRIMÉ EN FRANCE PAR BRODARD ET TAUPIN
1099M-5 - Usine de La Flèche (Sarthe), le 19-06-1995.

pour le compte des
Nouvelles Éditions Marabout
D.L. juin 1995/0099/255
ISBN 2-501-01632-7